D1484045

EN TOUTE CONFIANCE

Karen ROBARDS

EN TOUTE CONFIANCE

Traduit de l'anglais (États-Unis)
par Béatrice Cordet

Titre original :
To Trust a Stranger
publié par Pocket Books, une division
de Simon and Schuster, New York.

7-13, boulevard Paul-Émile-Victor - Île de la Jatte
92521 Neuilly-sur-Seine Cedex

Ce livre est dédié à mes deux jeunes neveux, Catherine Spicer et Hunter Johnson, ainsi qu'à Samantha Spicer, Bradley, Blake et Chase Johnson, Austin et Trevor Johnson, Jason Wearren, Justin Kennady et Rachel Rose. Et bien sûr, comme toujours, à mon mari, Doug, ainsi qu'à mes trois fils, Peter, Christopher et Jack, avec tout mon amour.

Prologue

1987

– Non ! Pitié ! Pas ça !

La voix de Kelly Carlson se brisa. Des larmes roulèrent sur ses joues tandis qu'elle se retournait vers l'individu qui la poussait sans ménagement devant lui.

– Va à l'arrière de la voiture ! répliqua-t-il.

Le pistolet braqué dans le dos de Kelly ne tremblait pas, le regard de son agresseur ne vacillait pas : des yeux aussi indifférents, aussi insondables que les eaux noires du lac Moultrie, à quelques mètres de la jeune femme. La surface du plan d'eau miroitait d'un éclat maussade sous la lumière des étoiles.

La Cougar flambant neuve était garée sur le promontoire en surplomb du lac, lieu de rendez-vous favori des amoureux durant l'été. Mais, cette nuit, l'endroit restait obstinément désert. Sans doute était-ce dû à la température aussi bien qu'à l'heure tardive : le thermomètre avoisinait les cinq degrés et il était plus de 2 heures du matin. Ce froid n'avait d'ailleurs rien d'inhabituel pour un mois de janvier en Caroline du Sud.

Aucun secours à espérer.

– Non, par pitié ! répéta-t-elle.

Néanmoins, comme elle n'avait pas le choix, elle obéit et

se dirigea d'un pas chancelant vers le coffre de la Cougar. Des brindilles d'herbe desséchées par le gel crissaient sous ses pieds. Daniel McQuarry aurait pu lui dire qu'il ne servait à rien de supplier – du moins s'il avait eu la possibilité de parler.

Bâillonné par un épais ruban adhésif, le visage tuméfié, les poignets ligotés derrière le dos, Daniel s'efforçait de ne pas gémir, recroquevillé sur le siège conducteur de la Cougar, en essayant tant bien que mal de prendre appui contre la portière. Il avait plusieurs côtes fêlées, peut-être cassées, et le plus infime mouvement le torturait. Il sentait le contact glacé d'un canon de revolver pointé contre sa gorge, sur sa droite ; il percevait aussi, avec la même acuité, la chaleur poisseuse du sang qui ruisselait le long de son front. Les coups qu'il avait reçus lui avaient déchiré le cuir chevelu, brisé la cloison nasale. Les yeux embués, il observa la difficile progression de Kelly le long du véhicule, escortée par l'un de leurs assaillants. Tout en lui demandant pardon, en son for intérieur, pour ne pas avoir su prévoir le danger, Daniel s'accabla de reproches, lui, le seul et unique responsable de cette catastrophe. Il s'était montré stupide, trop sûr de lui.

Par sa faute, Kelly Carlson, cette jeune femme de vingt-deux ans dont le seul tort avait été de lui faire confiance, allait mourir. Et lui aussi.

La panique chassa la douleur, son cœur s'emballa, son esprit se révolta. À vingt-cinq ans, Daniel McQuarry avait toute la vie devant lui. Pas question de mourir.

Il se déplaça de quelques centimètres vers la gauche et une douleur fulgurante le transperça de part en part. Respirant par le nez, il s'exhorta pourtant à reprendre son souffle, par à-coups, en luttant contre l'évanouissement. S'il perdait conscience, Kelly et lui n'auraient plus la moindre chance de s'en sortir.

Qui voulait-il tromper ? De toute façon, ils n'avaient aucune chance.

L'un de leurs quatre agresseurs – il les connaissait tous, il avait travaillé avec eux lors de sa dernière mission, sur ordre du gouvernement – contourna la voiture afin d'ouvrir le coffre. À cet instant seulement, lorsqu'il entendit le déclic, Daniel comprit ce que représentait ce coffre pour Kelly comme pour lui-même : un cercueil.

Leurs méthodes n'avaient pas de secret pour lui. Elles se résumaient en un seul mot : meurtre. Ils ne s'embarrassaient pas de scrupules pour éliminer tout ce qui pouvait représenter un obstacle ou une menace. Et, maintenant qu'ils lui avaient soutiré l'information qu'ils recherchaient – du moins le croyaient-ils –, Daniel ne leur était plus d'aucune utilité. Il n'avait donc plus qu'à disparaître. De même que Kelly. Peu leur importait qu'elle fût la belle-fille du patron.

– Daniel, fais quelque chose ! Ils vont nous tuer !

La jeune femme s'immobilisa un instant devant la portière entrouverte et Daniel remarqua qu'elle tremblait de tout son corps. De terreur, plus encore que de froid.

– Va dans le coffre ! lui intima l'homme en la forçant à avancer.

– Non ! hurla-t-elle.

Contre toute attente, elle s'écarta brusquement sur le côté pour bondir dans un taillis, ce qui prit ses agresseurs au dépourvu. À une dizaine de mètres de la Cougar, elle se précipita en direction de la route déserte. Ses pas résonnèrent quelques secondes sur l'asphalte, avant que l'ordre retentisse :

– Rattrapez-la !

Aussitôt, tous se lancèrent à la poursuite de la jeune femme, à l'exception de l'homme sur le siège passager, qui, hésitant, se retourna vers l'arrière du véhicule.

C'était le moment ou jamais. Au prix d'un effort surhumain, Daniel pivota vers la droite et, d'un coup de genou, déséquilibra son adversaire. Celui-ci, sous le choc, faillit lâcher son arme.

Le temps qu'il réagisse, Daniel s'était déjà extrait de la

voiture pour se ruer vers un bosquet, à environ trois cents mètres de là, avec la certitude que, s'il réussissait à franchir la distance jusqu'aux arbres, il lui restait un mince espoir. Cependant, alors même qu'il courait à perdre haleine, les dents serrées pour essayer de dominer la souffrance qui lui vrillait les côtes, il comprit qu'il n'y parviendrait jamais.

Soudain, un coup de feu. Un hurlement. Kelly. Daniel sursauta. Du sang lui brouilla la vue – du sang, mais aussi des larmes. Depuis combien d'années n'avait-il pas pleuré ?

Lorsque la balle l'atteignit, ce fut presque un soulagement. Elle le frappa de plein fouet, dans le dos, et le projeta face contre terre. Le sol lui sembla dur, glacial, et pourtant la violence du choc le libéra de sa douleur. Les sens engourdis, Daniel songea que la balle avait dû toucher la moelle épinière. Il sentit également un trou béant dans sa poitrine. Une mare de sang s'étalait autour de lui.

Il n'avait plus mal. Il n'avait plus peur. Il avait froid.

Pendant que deux des hommes accouraient dans sa direction pour le saisir par les genoux et les aisselles, il leva les yeux vers le ciel constellé, un demi-sourire sur les lèvres. Quand ils l'allongèrent dans le coffre à côté du cadavre de Kelly, il eut encore le temps, au cœur de l'obscurité, d'emporter avec lui une toute dernière image.

Celle des étoiles.

1

Quinze ans plus tard

Debout.

Julie Carlson cligna des paupières. Un instant, elle demeura immobile, aux aguets dans la pénombre. Que s'était-il passé ? Pourquoi s'était-elle réveillée en sursaut ? Presque aussitôt, elle constata qu'elle se trouvait dans sa chambre, étendue sur son lit ; elle entendait le ronronnement familier de la climatisation, laquelle ramenait la canicule de cette nuit de juillet à une température encore chaude mais supportable. Son ours en peluche, souvenir de son père, trônait comme d'habitude sur la table de chevet ; elle en distinguait la silhouette amicale, rassurante, dans la faible lueur du radio-réveil.

Elle avait dû faire un cauchemar, ce qui pouvait expliquer sa position inaccoutumée – recroquevillée en chien de fusil, elle qui d'ordinaire préférait dormir à plat ventre, bien étalée sur le matelas. Peut-être cela justifiait-il aussi la sensation inexplicable qui l'avait envahie.

La peur.

Mais pour quelle raison ?

Julie Carlson était seule dans sa chambre, seule dans la vaste bâtisse. De toute évidence, son mari avait découché. Une fois de plus, Sid avait pris ses quartiers dans la chambre d'amis.

À cette idée, la jeune femme réprima un haut-le-cœur. Elle était descendue au rez-de-chaussée vers 23 heures, la veille, pour apercevoir Sid affalé devant la télévision du salon.

– Je monterai après le journal de la nuit, avait-il affirmé.

Refusant d'entamer une dispute – ces derniers mois, les scènes de ménage se multipliaient entre eux –, Julie avait regagné le premier étage sans un mot.

Après tout, songea-t-elle, peut-être regardait-il un débat politique, un documentaire intéressant.

Allons donc, inutile de se raconter des histoires. Elle devinait fort bien ce qui se tramait.

Le déclic, suivi d'un vrombissement.

Tous ses sens en alerte, elle alluma la lampe de chevet. Puis elle frissonna.

Elle venait de reconnaître le son caractéristique de la porte du garage qui s'ouvrait.

Voilà que, en dépit de toutes ses prières, cela recommençait.

Que faire ?

Julie Carlson ignorait qu'il lui restait moins d'une heure à vivre.

En dehors d'une fenêtre éclairée au rez-de-chaussée, la demeure était plongée dans l'obscurité. Roger Basta ne quittait pas des yeux la construction imposante, au centre d'un lotissement résidentiel situé à l'ouest de Charleston. Si tout se passait comme prévu, Julie Carlson serait bientôt seule dans la maison.

Alors il surgirait du bosquet de palmiers nains et, après avoir forcé la porte de service, il gravirait l'escalier en direction de la première pièce sur la gauche. Autrement dit, la chambre conjugale. Là, en principe – il était un peu plus de minuit –, la jeune femme devait déjà dormir depuis longtemps.

Surprise, surprise.

Roger Basta s'autorisa un bref sourire. Il n'allait pas s'ennuyer, cette nuit. À la simple idée de ce qu'il comptait faire subir à Julie Carlson, il sentit son pouls s'accélérer. Depuis des semaines, il la guettait, repérant ses allées et venues, savourant à l'avance le fruit de ses efforts.

Dans certains cas, Roger Basta aimait bien son travail. Aujourd'hui, par exemple.

En bas, la lumière s'éteignit, et tout retomba dans les ténèbres.

Encore une minute.

D'un geste machinal, il tritura la photo qu'il gardait précieusement au fond de sa poche. Nul besoin de revoir le cliché sous un meilleur éclairage : il le connaissait par cœur, mieux encore que son propre visage. Julie Carlson toute bronzée dans son bikini blanc, riant au bord de sa piscine, derrière la pelouse.

Il avait pris cette photo lui-même, pas plus tard que l'avant-veille.

Face à lui, il vit basculer l'une des portes du garage, puis une grande Mercedes noire en sortir pour descendre l'allée et gagner le portail de fer forgé, qui était resté ouvert. Parfait. Le mari quittait les lieux, comme prévu.

La porte du garage se referma sans bruit. Au bout de l'allée, le véhicule bifurqua vers la gauche et prit la direction de l'autoroute, à sept kilomètres de là.

Pas de problème, se réjouit Basta. Tout se déroulait sans anicroche.

Comme l'alarme serait débranchée, cela lui faciliterait la tâche. Roger Basta disposait d'un créneau d'environ trois heures pour pénétrer dans la maison, accomplir sa besogne et disparaître dans la nature avant le retour de Carlson.

En réalité, c'était beaucoup trop. Sauf s'il avait quelques raisons de s'attarder. Il repensa à la photo, émoustillé. Oh, que oui, il avait bien l'intention de faire durer le plaisir.

Julie Carlson était excitante. Très excitante.

Selon les instructions qu'il avait reçues, le résultat devait ressembler à du travail d'amateur. Rien de prémédité, surtout. Le hasard, la malchance. Et, pour finir, le drame. Un cambriolage qui avait mal tourné.

– C'est comme si c'était fait, avait-il répondu avec un professionnalisme irréprochable.

Il s'accroupit sur la pelouse – le gazon paraissait coupé aux ciseaux, comme sur les meilleurs terrains de golf – et ouvrit son sac à dos. La chaleur moite de juillet, saturée d'odeurs de fruits et de fleurs, avait attiré des hordes de moustiques affamés. Basta transpirait dans son jean et son pull à col cheminée mais, dans ce genre de situation, on n'a guère le choix : prudence oblige. Il vérifia le contenu du sac à dos : pinces et tournevis, ruban adhésif, lampe de poche, gants de chirurgien, ainsi qu'un fil de Nylon et un crayon qui, associés, formeraient un garrot d'une solidité à toute épreuve. Enfin, une boîte de préservatifs. Bon, il n'avait rien oublié. De l'index, il toucha la cagoule de skieur qui lui recouvrait le crâne et descendait très bas sur le front, masquant les sourcils. Basta s'était rasé entièrement le corps, afin de ne pas abandonner sur place des pilosités qui auraient constitué autant d'indices, mais il avait renoncé à éliminer cheveux et sourcils pour la bonne raison que, le lendemain du crime et dans les jours qui suivraient, son allure imberbe n'aurait pas manqué d'attirer l'attention. Or c'était bien là ce qu'il redoutait le plus.

Par chance, son visage neutre, de même que ses cheveux grisonnants et de plus en plus clairsemés, lui donnait une apparence inoffensive. En règle générale, Roger Basta croisait toutes sortes de gens pendant qu'il effectuait ses repérages avant un meurtre, voisins, commerçants, livreurs, éboueurs ou passants, et ensuite, après coup, nul ne se souvenait de lui. Jusqu'à présent, personne n'avait pu imaginer qu'un tueur à gages se dissimulait sous les traits d'un quinquagénaire aussi insignifiant, aussi anonyme. Là résidait le secret de son efficacité.

Il referma le sac, empoigna son pistolet et se dirigea vers l'arrière de la bâtisse, où la piscine brillait au clair de lune parmi des effluves de plantes tropicales. Un grillon, accompagné par un orchestre de criquets, s'était lancé dans un concerto auquel répondirent une ou deux grenouilles. L'ensemble eût été charmant sans l'obsédante présence des moustiques.

Roger Basta aurait adoré passer le reste de son existence en Caroline du Sud s'il n'avait autant souffert de ses étés torrides et de son épuisante humidité.

D'abord, se concentrer sur la porte qui menait au patio. Il ne rencontrerait aucune difficulté, il le savait.

Dans quelques minutes, il entrerait dans la maison.

Du gâteau, se dit-il. L'alarme débranchée, les serrures tellement simples à forcer que c'en était un jeu d'enfant. Une femme isolée, sans défense. Même pas de chien. Le rêve.

Soudain, au rez-de-chaussée, une fenêtre s'éclaira.

Basta rebroussa chemin en toute hâte devant la tournure que prenaient les événements. Il ne s'était pas attendu à cela. À couvert d'un gigantesque magnolia, il s'efforça de faire le point. Depuis trois semaines qu'il épiait cette propriété, pas une seule fois Julie Carlson n'avait allumé la lumière après le départ de son mari. Était-elle malade ? Avaient-ils des invités ? Mais non, Basta l'aurait remarqué.

Alors ?

La lumière s'éteignit aussi vite qu'elle était apparue. Basta respira mieux.

Bien. Mais où était donc passée Julie Carlson ?

Un bruit léger mais persistant capta son attention, sur le côté de la maison. Basta recula encore de trois pas et ses yeux s'agrandirent de stupéfaction lorsqu'il s'aperçut que la porte du garage commençait à s'ouvrir.

Par réflexe, il brandit son pistolet droit devant lui. Mais à quoi pouvait bien lui servir son arme en ce moment ?

Impossible de tenter quoi que ce soit. La mort dans l'âme,

il dut se résigner à voir la Jaguar de Julie Carlson quitter le garage, s'engager dans l'allée et, une fois parvenue au portail, emprunter la direction de l'autoroute avant de s'éloigner dans la nuit.

Basta contemplait encore la porte du garage, hébété, quand celle-ci se referma en silence.

Sa proie était partie. Il lui fallut une bonne minute pour encaisser le choc. Sa belle humeur envolée, il se sentait floué.

Julie Carlson s'était-elle doutée de quelque chose ? Et lui, l'avait-on attiré dans un guet-apens ? Après tout, les gens pour qui il travaillait n'étaient pas des enfants de chœur, il était bien placé pour le savoir. Une trahison restait toujours possible ; quelqu'un pouvait avoir vendu la mèche, moyennant finance.

Puis le bon sens l'emporta. Un piège ? Non. Pas de cette façon-là. Et Julie Carlson ne soupçonnait rien, à moins d'être douée de télépathie.

L'explication la plus logique était qu'un imprévu venait de se produire. Lequel, Basta l'ignorait, mais peu lui importait. L'essentiel était que, tôt ou tard, la jeune femme reviendrait.

Et il la guetterait.

Quelque peu rasséréné, il se consola avec l'idée que même un professionnel de son niveau n'était pas à l'abri de ce genre de contretemps. Les risques du métier, en somme.

Au fond, se dit-il, ce n'était pas si grave. Dans un regain d'optimisme, il se surprit à fredonner un refrain lourd de signification :

– J'ai tout mon temps, tout mon temps...

2

– Je ne voudrais pas te froisser, McQuarry, mais, comme femme, tu n'es pas ce qu'on peut rêver de plus sexy.

Mac toisa son associé de son air le plus méprisant :

– L'important, c'est que, moi, je me trouve irrésistible.

Hinkle trottinait à son côté sans chercher à refréner son hilarité. Dans la canicule de ce vendredi soir, les deux hommes s'étaient donné rendez-vous sur le parking du Pink Pussycat, autrement dit l'un des bars gays les plus célèbres de Charleston.

– Désolé d'avoir heurté ta légendaire sensibilité, gloussa Hinkle.

Pendant que Mac s'efforçait de conserver à sa démarche un maximum de dignité, ses talons aiguilles émirent une sorte de couinement et il trébucha, manquant se fouler la cheville. Après s'être rattrapé de justesse au bras de son associé, il laissa exploser sa mauvaise humeur :

– Comment les femmes s'y prennent-elles pour tenir d'aplomb sur des engins pareils ? J'aurais pu me faire une entorse, et d'ailleurs j'ai mal aux pieds, sans parler de l'espèce de machin qui m'étrangle la taille, j'ai les lombaires en capilotade, c'est prévu pour comprimer la cellulite, ces choses-là, mais moi, je n'ai pas ce problème, je suis tout en muscles, alors à ce compte-là je cours droit à la hernie discale, demain je serai plié en deux par les courbatures, à moins que je ne périsse asphyxié d'ici là, je n'arrive même plus à respirer, c'est ça, ricane, on voit bien que tu n'es pas à ma place, merci pour ta compassion, Hinkle, je te revaudrai ça.

Sourd aux récriminations de son coéquipier, l'intéressé lâcha pour toute réponse :

– Arrête de te cramponner à moi, sinon les passants vont s'imaginer que tu es en train de me peloter.

– Ah, qu'il est amusant ! Tu veux que je te dise ? Tu es le Black le moins drôle de tout Charleston.

– Et toi, le Blanc le plus parano de toute la Caroline du Sud.

– Parano, moi ? rugit Mac. Alors que je me sacrifie pour les besoins de l'enquête !

– Baisse de deux tons, ma mignonne : on va nous entendre. Et cesse de te gratter les fesses, ça n'a rien de très féminin, tu sais, susurra Hinkle.

– Je ne me gratte pas les fesses, j'essaie d'empêcher cette satanée gaine de me scier les hanches !

D'un geste énergique, le martyr du latex à baleines remit en place l'objet de sa juste colère, avant de décréter avec un évident manque d'enthousiasme :

– Bon, on y va.

Quelques secondes plus tard, ils se mêlaient à la foule qui se pressait sur le trottoir.

Au centre d'une zone suburbaine depuis longtemps envahie par les sex-shops, cinémas pornos, discothèques torrides, clubs de strip-tease, boîtes de nuit sadomasos et trafics en tous genres, le Pink Pussycat n'aurait su passer pour le quartier général de l'Armée du Salut. Niché au rez-de-chaussée d'un immeuble de trois étages à la façade on ne peut plus anonyme, l'établissement se signalait à l'attention des amateurs par une vibrante enseigne au néon où un artiste inspiré avait représenté un chat couleur rose fluo sirotant un verre de margarita aux nuances mordorées. Nettement plus sobres, les rares fenêtres du night-club exhibaient des barreaux d'acier qui n'étaient pas sans évoquer la joyeuse atmosphère d'une prison.

Devant la porte d'entrée, un videur au physique de repris de justice contrôlait l'honorable clientèle. À minuit passé, le Pink Pussycat affichait salle comble et une file d'attente s'était formée jusque sur la chaussée. Mac remarqua non sans soulagement que la plupart des habitués arboraient un accoutrement à peu près aussi saugrenu que le sien, à ceci près qu'il devait être le seul à jouer la comédie. Du haut de son mètre quatre-vingt-dix – deux mètres et quelques en comptant ces maudits talons –, il dépassait tout le monde d'une bonne tête, ce qui lui offrait une vue imprenable sur l'assistance. Du moins la « cible » serait-elle plus facile à repérer.

D'après ses sources, Clinton Edwards éprouvait un faible pour les travestis aux blondeurs platinées. Et, comme l'épouse d'Edwards était prête à débourser des fortunes pour obtenir le divorce aux meilleures conditions, Mac avait accepté de se métamorphoser en drag-queen l'espace d'une nuit, le temps de procéder à des enregistrements et de prendre des photos. Il détestait les affaires de divorce, il les avait même en horreur, mais les deux directeurs de l'agence « McQuarry et Hinkle, détectives privés » ne possédaient pas les moyens de faire la fine bouche devant certaines enquêtes.

En d'autres termes, si le job était payant, Mac était partant.

– Dix dollars chacun, énonça le videur d'une voix d'outre-tombe.

L'homme était chauve, ce qui mettait d'autant mieux en valeur l'hallucinante quantité d'anneaux qui lui perçaient les oreilles. Déterminé à entrer dans la peau de son personnage, Mac lui décocha une œillade qui se voulait langoureuse, exploit d'autant plus méritoire que ses faux cils, alourdis par une généreuse couche de mascara, lui semblaient peser des tonnes. Toutefois, le videur aux allures d'ancien forçat ne lui accorda pas une once intérêt. Cette indifférence le réconforta, en un sens, mais d'autre part cela n'augurait rien de bon pour la suite des événements.

Car il avait pour mission de séduire, cette nuit – jusqu'à un certain point seulement, bien entendu. Clinton Edwards, toujours d'après les renseignements fournis par son épouse, avait franchi depuis longtemps le cap des soixante printemps et devait avoisiner les cent trente kilos.

Ce qu'il ne fallait pas faire pour gagner sa vie.

Quand Hinkle eut réglé les tickets d'entrée, tous deux pénétrèrent dans une salle caverneuse, enfumée aussi bien par le tabac que par diverses substances plus ou moins légales. Des palmiers de plastique décoraient des recoins plongés dans la pénombre. Un disc-jockey souffreteux passait *Margaritaville*. Plusieurs couples, homme et homme, femme et femme, ou autre et autre, évoluaient au ralenti sur une minuscule piste de danse. Sur une sorte de podium, une blonde aux seins siliconés se déhanchait au rythme de la musique. Elle ôta son string de lamé argent avant même que Mac eût compris qu'il ne s'agissait pas d'une femme. Déçu, il détourna la tête et balaya des yeux l'ensemble de la pièce, à l'affût de sa « cible », lorsqu'il sentit très distinctement que quelqu'un lui pinçait les fesses.

– Qu'est-ce que... ?

Sous le choc de la stupeur, il fit un bond qui le projeta en avant. Reprenant appui sur ses talons aiguilles, il vacilla, puis dérapa, et n'évita la chute que grâce à une table à laquelle il se raccrocha au dernier moment.

Hinkle le rejoignit en trois enjambées.

– Eh, toi, enlève tes pattes de là ! Elle est avec moi ! hurla-t-il à l'intention du petit gros à lunettes qui venait d'attenter à la pudeur de son coéquipier.

– J'm'excuse, fit le satyre, j'avais pas vu qu'elle était accompagnée.

Avec un geste apaisant, l'homme se renfonça dans son fauteuil et se replongea dans la contemplation de sa chope de bière. Il s'accorda néanmoins le loisir d'adresser à Mac un clin d'œil sans équivoque, tout en esquissant un baiser de ses lèvres charnues.

– À un de ces quatre, beauté, murmura le petit gros.

– Mais oui, mon lapin, répondit Mac de sa meilleure voix de fausset.

Désireux d'en finir au plus vite, il se dirigea vers le bar, dans l'espoir d'y apercevoir Clinton Edwards. Il avait les chevilles dans un état apocalyptique ; quant à son dos, il méritait le nom de ruine ambulante. Mac serra les dents et, à titre de motivation, revit en pensée les espèces sonnantes et trébuchantes que sa cliente lui avait déjà versées.

– À partir de maintenant, marmonna-t-il dans l'oreille de Hinkle, tu ne me lâches plus d'une semelle. Vu ?

Toutefois, son associé ne l'écoutait pas. Il fixait un point à l'autre extrémité de la salle :

– Il est là.

– Où ?

Il suivit le regard de Hinkle, pour découvrir Edwards accoudé à une table d'angle en compagnie d'une blonde aux charmes dévastateurs, et il se rappela soudain que dans ce genre d'endroit, les blondes les plus sexy étaient rarement porteuses de deux chromosomes X.

Au même instant, la blonde plantureuse se leva, lança à son soupirant un sourire enjôleur et traversa la pièce. Elle disparut derrière un battant orné d'une inscription au néon rose : DAMES.

Bon sang.

– Quand faut y aller, faut y aller, ricana Hinkle en guise d'encouragement.

Mac considéra d'un œil désabusé la porte des toilettes, puis son associé, puis de nouveau la porte. Trop tard pour changer d'avis.

Le rire de l'infâme Hinkle présentait une indéniable ressemblance avec un jappement de hyène tandis que Mac s'acheminait d'un pas lourd vers les toilettes. L'idée était d'engager la conversation avec la blonde et de l'amener à les inviter, Hinkle et lui, à rejoindre Edwards à sa table. Si la ruse ne fonctionnait pas, il lui faudrait alors envisager le plan B – encore qu'il eût été incapable d'expliquer en quoi pouvait consister ledit plan B. En tout état de cause, les deux détectives devaient à tout prix s'arranger pour provoquer un flagrant délit et prendre des photos d'Edwards dans une situation compromettante. Eh bien, ce n'était pas gagné d'avance.

Quoi qu'il advienne, songea Mac en poussant la porte fatidique, la nuit s'annonçait longue.

S'il avait écouté les sages conseils de sa grand-mère, il aurait suivi des études de droit et, à l'heure actuelle, il se serait trouvé chez lui, tranquille, l'âme en paix, à relire des dossiers en attente de jugement, au lieu de jouer les drag-queens à la petite semaine.

Julie Carlson obliqua à l'angle de la rue, jeta un coup d'œil alentour et, pour la troisième fois en cinq minutes, vérifia que les quatre portières étaient bien verrouillées, parce que, elle s'en doutait, il n'était guère indiqué de sillonner les rues du quartier chaud de Charleston, un vendredi soir, à bord d'une Jaguar gris métallisé. Cependant, comme elle ne savait encore rien de sa destination lorsqu'elle avait décidé de quitter la maison, elle ne s'estimait pas entièrement fautive.

La jeune femme avait réagi sur un coup de tête en entendant la porte du garage. Soudain, elle avait bondi de son lit pour prendre son mari en filature, résolue à découvrir enfin où il s'enfuyait, la nuit, sitôt qu'il la croyait endormie.

De haut en bas de l'avenue, des enseignes au néon appâtaient le chaland au moyen de slogans plus affriolants les uns que les autres, où revenait comme un refrain lancinant la mention « réservé aux adultes ». Julie n'aurait jamais cru que l'on pût déployer autant d'imagination pour des titres de films pornographiques. Certains lui paraissaient même franchement risibles, et elle s'en serait amusée en d'autres circonstances. Mais là, elle n'avait pas le cœur à plaisanter. Car la présence de Sid Carlson en un tel lieu avait des implications qu'elle ne pouvait plus ignorer.

À quarante ans, Sid jouissait d'une excellente santé. Julie, quant à elle, avait vingt-neuf ans, une silhouette de rêve – elle se donnait assez de mal pour conserver sa ligne – et de longs cheveux bruns qui avaient une tendance naturelle à friser dans la chaleur moite de Charleston. Sans parler de la beauté de son visage, qui lui avait permis d'échapper à son milieu d'origine, lequel était plus que modeste. Élégante, toujours impeccable, elle achetait sa lingerie fine chez Victoria's Secret. Autrement dit, rien en elle n'offrait de quoi rebuter un mari.

Depuis plus de huit mois, Sid et elle n'avaient pas eu l'ombre d'un début de relation sexuelle, et ce n'était certes pas faute d'efforts de sa part. Et, plus ses tentatives pour attirer son mari dans son lit demeuraient infructueuses, plus elle trouvait la situation humiliante.

Surtout pour une jeune femme qui, huit ans plus tôt, avait été élue Miss Caroline du Sud.

Sid justifiait les nuits qu'il passait sans elle dans la chambre d'amis en lui expliquant que, surchargé de travail, il était inhibé par le stress. Et de fait, son entreprise, créée en association avec son père, aujourd'hui à la retraite, tournait à plein régime. La société All-American Builders, spécialisée dans la construction de bureaux de prestige et de résidences haut de gamme, croulait sous les contrats et amassait des millions de dollars. Que Sid pût se sentir épuisé par ses incessantes activités professionnelles, elle ne songeait pas à le nier.

Mais de là à renoncer à toute sexualité...

Elle avait refusé de comprendre, jusqu'au moment où elle avait découvert, dans le placard à pharmacie de son mari, des petites pilules bleues, en forme de losange, mélangées à des vitamines. Du Viagra. Dès lors, elle avait repris espoir, convaincue qu'il était allé consulter un médecin afin de régler le problème. Pourtant, rien ne s'était produit. Le lundi précédent, quand elle était tombée sur le Viagra, elle avait dénombré huit comprimés. Et puis, voilà quelques heures, lorsqu'elle avait rouvert le placard, il n'en restait plus que six.

Julie s'était donc préparée en conséquence. Parée de ses plus beaux atours – un déshabillé de satin rose, choisi avec soin –, elle s'était rendue au salon, où il regardait la télévision, afin qu'il la voie dans cette tenue, après quoi elle était remontée dans la chambre pour l'attendre patiemment – ou plutôt impatiemment –, allongée sur le lit.

Et il s'était volatilisé.

Maintenant, tout devenait clair.

Sid avait bel et bien une vie sexuelle. Mais pas avec elle.

Il lui était déjà pénible de savoir que son mariage partait à vau-l'eau au bout de si peu de temps, mais encore, pour aggraver le tout, l'ensemble de sa famille dépendait totalement de Sid : sa mère et son beau-père habitaient dans une maison qui lui appartenait, et l'époux de sa sœur occupait le poste de vice-président de la société de Sid, travail pour lequel il touchait environ le triple du salaire inhérent à cette fonction ; c'était bien assez pour que Becky reste à la maison et élève leurs deux enfants.

Le divorce ? Quel mot affreux ! Et pourtant, il fallait que Julie cesse de se voiler la face.

Jusqu'à une date récente, elle s'était refusée à admettre l'échec de son mariage. Peut-être, se disait-elle, les choses finiraient-elles par s'arranger. Peut-être le stress suffisait-il à expliquer le désintérêt de Sid à son égard. Peut-être existait-il d'autres raisons, tout aussi logiques, tout aussi rassurantes.

Mais non.

Lorsqu'elle l'avait interrogé sur son attitude, il lui avait rétorqué qu'il se tuait au travail, à force de vouloir maintenir un train de vie pour lequel, du reste, elle n'était pas faite ; par la faute de Julie, à cause de son insatiable appétit de luxe, il souffrait d'insomnie, de fatigue chronique, et c'était pour ne pas la déranger, la nuit, qu'il préférait coucher dans la chambre d'amis, à se tourner et retourner dans son lit en cherchant en vain le sommeil. Et ses escapades nocturnes ? avait-elle demandé. Oh, rien de plus simple, avait-il répondu : il avait pris l'habitude de rouler en voiture pour se calmer les nerfs, et parfois il poussait une pointe jusqu'à l'un des immeubles qu'il avait construits. Leur seule vue l'apaisait, prétendait-il.

Vraiment ? avait pensé Julie, de plus en plus sceptique.

Toutefois, par lâcheté, elle n'avait pas voulu affronter la vérité. La stabilité de son mariage, de son foyer, comptait par-dessus tout à ses yeux. Enfant, elle avait subi le divorce de ses parents, le départ de son père. Elle avait aussi connu la misère ; à plusieurs reprises, avec sa mère et Becky, sa sœur aînée, elle avait dormi dans des refuges pour sans-abri. La faim, pour elle, n'était ni un vain mot ni une réalité lointaine, réservée au tiers-monde : Julie savait exactement ce que cela signifiait. La faim et sa conséquence directe : la peur. Grâce à son physique exceptionnel, elle s'était évadée de cet enfer, elle avait même décroché le gros lot en épousant le prince charmant dont elle rêvait depuis toujours. En l'occurrence, le richissime Sid Carlson. Elle était tombée éperdument amoureuse de lui quand elle avait à peine vingt ans et, pour sa part, il semblait en adoration devant elle. Du moins à l'époque. Aujourd'hui, au terme de huit ans de vie conjugale, tout s'effondrait.

Et voilà qu'elle se retrouvait aux abords de la Citadelle, à une heure moins le quart du matin, prisonnière d'un embouteillage, tandis qu'elle suivait son mari comme la pire des épouses aigries.

En tout état de cause, à en juger d'après le style du quartier, ce n'était pas ici qu'il risquait de venir admirer les immeubles de prestige que construisait son entreprise.

Alors, autant rebrousser chemin. Sid aurait été fou de rage s'il l'avait surprise en train de l'espionner. Et puis, de toute manière, elle l'avait perdu de vue à partir du moment où la grande Mercedes noire s'était engagée dans l'avenue.

Lorsqu'elle s'était engouffrée dans son sillage, deux minutes plus tard, il avait déjà disparu.

Mieux valait ne pas s'éterniser dans les parages. Au cas où elle aurait oublié qu'il n'était pas recommandé de conduire une Jaguar dans ce type d'endroit, l'expression des badauds, sur les trottoirs, se chargeait de le lui rappeler, entre les loubards qui détaillaient ses roues avec des mines gourmandes et les dealers à l'œil vitreux qui lui décochaient des regards dont la jeune femme préférait ne pas saisir le sens.

Bon. Il fallait rentrer. Demain, elle aviserait.

Julie se dirigea sur sa droite, vers un parking où elle comptait effectuer un demi-tour. Mais, à l'instant où elle achevait sa manœuvre et s'apprêtait à en ressortir, une camionnette bleue, arrivant en sens inverse, lui barra la route.

Les deux portières de la camionnette s'ouvrirent à la même seconde, livrant passage à deux individus au crâne rasé qui arboraient des T-shirts couverts de slogans pour le moins éloquents. Il y était question de la suprématie de la race blanche. Ce n'était pas le Ku Klux Klan mais cela ne valait guère mieux. L'un d'entre eux brandissait une batte de base-ball, et ce n'était certes pas pour disputer un match amical. Les yeux agrandis par la peur, Julie chercha une issue. Peine perdue. Elle était bloquée par les autres voitures, sur les deux côtés et à l'arrière.

Par réflexe, elle actionna la fermeture automatique. Le signal retentit, en vain. Les portières de la Jaguar étaient déjà verrouillées. Et les vitres relevées. Les deux punks approchaient. Que faire ? Son téléphone cellulaire gisait au fond de son sac. D'une main tremblante, Julie défit le fermoir, plongea les doigts à l'intérieur et fouilla fébrilement. Elle rencontra une foule d'objets hétéroclites, un peigne, un poudrier, une boîte de pastilles mentholées, un tube de rouge – mais de portable, point.

À la seconde où elle empoignait enfin son téléphone, un coup de poing résonna contre sa portière. L'un des deux clones d'Eminem lui souriait, de l'autre côté de la vitre. Elle remarqua un piercing juste en dessous de sa lèvre inférieure.

– Eh, sors de là ! lui enjoignit-il.

Le ton n'avait rien de menaçant. Mais le revolver qu'il agitait sous son nez l'était davantage.

L'autre, celui à la batte, arrivait en renfort.

Affolée, Julie comprit qu'ils en voulaient à sa voiture. Dans le meilleur des cas.

Le braqueur était armé d'un revolver. Elle était armée d'un téléphone.

Julie n'avait aucune chance. Son agresseur l'abattrait avant même qu'elle eût formé les trois chiffres du numéro d'urgence de la police.

– J't'ai dit : ouvre la portière, salope !

Il ne jouait plus avec son revolver. Il le pointait sur le visage de la jeune femme.

Julie imagina la balle pulvérisant la vitre et terminant sa trajectoire dans son front.

Son cœur battait à se rompre. Elle avait la gorge sèche. Soudain, par pur instinct, elle enclencha la marche arrière et, avec un bond, la Jaguar recula en se déportant sur la gauche. On entendit un crissement de tôle froissée.

Elle venait de percuter une Chevrolet Blazer noire qui tentait au même moment de se frayer un chemin vers la barrière du parking. Sous la violence du choc, la Jaguar s'immobilisa, pendant que la vitre du côté conducteur explosait en mille morceaux. La tête secouée en tous sens, Julie put néanmoins voir le punk au revolver passer la main au milieu des éclats de verre pour déverrouiller sa portière. Sans lui laisser le temps de réagir, son agresseur ouvrit à toute volée, se pencha au-dessus d'elle, lui déboucla sa ceinture de sécurité, et Julie se retrouva brusquement propulsée hors de son auto.

Elle atterrit sur l'asphalte en se recevant sur le dos et les coudes avec une brutalité qui lui arracha un cri de douleur. Aussitôt, l'un des deux braqueurs se précipita à l'intérieur de la Jaguar, tandis que l'autre remontait à bord de la camionnette. Julie ne s'était pas encore relevée que les deux véhicules se ruaient hors du parking.

Elle dressa un rapide bilan de la situation. Dans la colonne « passif » : on lui avait volé sa Jaguar. Dans la colonne « actif » : elle s'en sortait relativement indemne.

Contre toute attente, la jeune femme tenait encore son portable à la main. Elle composa le 9 puis s'interrompit. Ne pas agir à la légère. Elle se trouvait sur un parking perdu, dans un quartier impossible, et n'avait pour tous vêtements qu'une nuisette de satin rose, avec un short assorti ; en guise de chaussures, elle avait enfilé des baskets à la hâte lorsqu'elle avait quitté la maison. Et sa Jaguar avait pris la clé des champs. Comment Sid allait-il réagir ?

Et si jamais la presse apprenait l'incident ?

Au fond, il n'était peut-être pas tellement judicieux d'appeler le 911. Mais que faire d'autre ?

– Que se passe-t-il ? Vous vous êtes disputée avec votre petit ami ?

La voix était celle d'un homme. La vision qui s'imposa à ses yeux l'était moins.

Un bustier de soie noir et or, avec un décolleté vertigineux que masquait une écharpe de mousseline cramoisie, le tout comprimant à grand-peine une carrure de déménageur. Une minijupe de cuir noir, ultra moulante, sur des cuisses d'athlète délicatement gainées par un collant résille. Des escarpins vernis, couleur argent, hauts comme des échasses, pointure 46 au bas mot. Une voluptueuse chevelure blond platine. Un visage viril, carré, disparaissant sous une couche de maquillage digne d'une maquerelle des années trente. L'ensemble s'élevait à une hauteur d'environ deux mètres.

Bref, Julie se trouvait face à un hypothétique croisement entre Marilyn Monroe et Terminator.

Elle avait dû pousser une exclamation de stupeur car la question lui fut répétée, sur un ton où perçait une certaine impatience. Une fois remise du choc, Julie reprit pied dans la réalité et, l'espace d'un instant, oublia l'allure extravagante de son interlocuteur.

– On m'a volé ma voiture... Ils étaient deux... Ils ont pris mon auto.

Elle fit volte-face vers les embouteillages de l'avenue, sans grand espoir, et, en effet, la Jaguar n'était plus en vue. Les braqueurs avaient sans doute tourné à l'angle du carrefour.

Une main protectrice, bizarrement masculine, s'appesantit sur son bras, comme pour l'aider à tenir debout.

– Vous avez bu ?

La voix, là encore, était bien virile – et un rien désapprobatrice. Levant les yeux, Julie scruta des yeux d'un bleu d'acier, hélas surmontés par un fard à paupières nuance turquoise. Sous les lèvres peinturlurées en vermillon, le menton bleuissait déjà d'une barbe matinale. Et cet individu prétendait voler à son secours ?

– Non ! jeta-t-elle, agacée.

Derechef, elle composa le 9, puis ajouta le premier 1. Une fois de plus, elle marqua une pause. Sid...

– Vous avez sérieusement abîmé ma Blazer. Vous avez votre permis ? Vos papiers d'assurance ?

– Quoi ?

Le problème de Sid la préoccupait tellement que Julie ne parvenait même plus à enregistrer ce qu'il – ou elle – lui disait.

– Le permis, l'assurance, vous savez bien, ironisa son vis-à-vis : ce genre de documents que se montrent les gens, d'habitude, pour préparer un constat à la suite d'un accident...

Il la regardait comme si elle venait de rater son examen

d'entrée à l'école maternelle. Piquée au vif, elle résolut de se concentrer sur ce qu'il lui demandait. Un seul problème à la fois. L'improbable fils de Marilyn Monroe et d'Arnold Schwarzenegger redoutait à l'évidence de se voir pénalisé en raison des dégâts subis par sa voiture. Dégâts assez substantiels, admit-elle en apercevant une large estafilade sur le flanc droit de la Blazer.

– Oui, bien sûr, j'ai mon permis et tous mes papiers... Ah non, au fait ! Ils sont dans mon sac. Et mon sac se trouve dans l'auto. On me l'a volée, vous comprenez ? Une Jaguar gris métallisé...

Elle tendit l'index pour composer le 1 final sur son cadran électronique. De toute manière, la Jaguar s'étant évanouie dans la nature, pas moyen de cacher la vérité à Sid. Alors, autant prévenir la police.

Quoique... Elle hésita.

Un rire nerveux s'empara d'elle. Son mari la trompait. Elle s'était abaissée à l'espionner. Ensuite, elle avait perdu sa trace au moment où il se rendait dans un quartier où la prostitution faisait figure de spécialité locale. Des loubards l'avaient attaquée, elle avait endommagé une automobile et on lui avait pris la Jaguar. Et maintenant, sur ce parking sordide, une drag-queen délirante la traitait comme la dernière des idiotes.

Elle ne pouvait descendre plus bas.

Pendant ce temps, il – ou elle – observait Julie sans vergogne, des pieds à la tête. Quand se termina l'inspection, leurs regards se croisèrent. Celui de la jeune femme contenait du défi, de la colère. Celui du travesti recelait quelque chose de typiquement masculin. Il se détourna, puis se remit à détailler la jeune femme. D'une façon éhontée.

Elle s'apprêtait à lui assener une réplique cinglante lorsqu'il la devança :

– Ma jolie, avec ce genre de tenue, vous devriez plutôt porter des sandales à talon.

Ah bon ? Parce qu'il osait critiquer ses baskets, à présent ? Indignée, elle refréna une forte envie de hurler – ou de rire, elle ne savait plus.

Depuis quelques minutes, des gens étaient entrés dans le parking afin de rejoindre leurs voitures. Parmi eux, Julie distingua un couple amoureusement enlacé ; la femme était vêtue d'une manière extravagante, semblait-il.

Elle ramena son attention sur son problème le plus urgent : comment récupérer la Jaguar ? Et comment rentrer chez elle avant le retour de son mari ?

– C'est ta faute, Sid, murmura-t-elle. Si tu n'étais pas sorti cette nuit...

– Madame Carlson ?

Elle sursauta. La drag-queen venait de reprendre la parole. Et de prononcer son nom. Julie s'était trompée, un moment plus tôt, en estimant qu'au point où elle en était, la situation ne pouvait pas empirer. Il s'avérait que, maintenant, les choses tournaient au cauchemar.

Il n'existait aucune raison valable, absolument aucune, pour que la drag-queen connaisse son nom.

Elle faillit mentir, prétendre qu'il s'agissait d'un malentendu, mais dans le même temps elle se rendit compte que cela n'aurait rimé à rien.

– Oui, répondit-elle.

Les lèvres vermillon esquissèrent un sourire indéchiffrable. De plus en plus désemparée, Julie amorça une phrase pour demander des explications lorsqu'une voix suraiguë retentit à une dizaine de mètres, vers le centre du parking :

– À tout à l'heure, Debbie !

Le couple qu'elle avait aperçu quelques secondes plus tôt s'approchait d'eux : une grande blonde incendiaire, habillée d'une robe du soir en satin noir et lamé argent, et un individu d'un âge canonique dont la silhouette obèse était sanglée dans un costume froissé. L'homme chancelait, dans un état d'ébriété avancé, pendant que la femme le soutenait, un bras possessif autour de sa taille boudinée.

« Debbie ». La blonde avait interpellé la drag-queen en l'appelant « Debbie ».

– Tu as l'adresse, Debbie ? articula l'homme d'une voix pâteuse.

Son regard glissa vers Julie et s'attarda à la contempler :

– Ta copine est la bienvenue, elle aussi.

Atterrée, la jeune femme s'abstint de réagir.

– Oh, Clinton, tu penses bien que je ne manquerais pas ça pour tout l'or du monde ! minauda la drag-queen en battant des cils. Tu n'as qu'à partir en premier, avec Lana. Je vous rejoins dès que possible.

– J'ai tout ce qu'il faut à la maison, question poudre, cachets et seringues, insista le dénommé Clinton. Viens avec ta copine, on va se payer une nuit d'enfer.

Il lança un clin d'œil aguichant à Julie, qui ne put s'empêcher de frémir. Tandis que le couple s'éloignait, Lana pivota vers la jeune femme pour lui jeter dans un chuchotement haineux :

– Dégage, pouffiasse !

Retrouvant ses intonations sirupeuses, Lana se tourna ensuite vers « Debbie » :

– À plus tard, trésor.

Trésor. Debbie. Julie comprit enfin : Lana elle aussi était un travesti.

– Elle croit que je suis un homme ! s'exclama-t-elle, horrifiée.

– Allons, madame Carlson, railla « Debbie », vous devriez plutôt vous sentir flattée. D'ailleurs, vous noterez que c'est de vous que Lana est jalouse. Pas de moi.

Abasourdie, Julie eut l'impression que, telle Alice passant de l'autre côté du miroir, elle venait de pénéter dans un univers parallèle où les règles habituelles n'avaient plus cours et où seule régnait une logique absurde.

– Ma voiture ! s'écria-t-elle soudain, revenant à la réalité.

– Alors, vous appelez le 911, oui ou non ? Décidez-vous,

je n'ai pas que ça à faire. Tout ce qu'il nous faut, c'est un procès-verbal en bonne et due forme, pour l'assurance.

– Écoutez, avoua-t-elle, j'ai un petit problème... Je ne souhaite pas que mon mari apprenne que j'étais dehors cette nuit.

Ses épaules s'affaissèrent. Vaincue, la jeune femme se dit que, si la drag-queen connaissait son nom, elle devait faire partie des relations de Sid, d'une façon ou d'une autre – encore qu'elle eût du mal à imaginer son macho de mari en train de frayer avec ce genre de créature. Cependant, comme elle évoluait depuis plusieurs minutes dans le monde de l'irrationnel, elle renonça d'avance à creuser la question. Tout était possible.

L'important, dans l'immédiat, consistait à limiter les dégâts, c'est-à-dire à s'arranger pour que les récents événements n'arrivent pas aux oreilles des journalistes. Or, si elle avertissait la police, il y avait fort à parier que, très vite, la presse, toujours à l'affût des potins, en ferait ses choux gras : l'épouse du célèbre Sid Carlson suivant son époux, la nuit, dans un quartier interlope et se laissant bêtement voler sa Jaguar. On les tournerait en ridicule, son mari et elle. Julie voyait déjà les gros titres à la rubrique « faits divers ». Sid ne le lui pardonnerait jamais.

Il était donc exclu de téléphoner au 911. À condition que « Debbie » fût d'accord. Pour cela, il lui fallait gagner sa sympathie, quitte à lui dévoiler une partie de la vérité.

– Ah oui ? fit la drag-queen, indifférente.

Parmi les allées et venues sur le parking, une Corvette rose les dépassa sur le chemin de la sortie. Le véhicule ralentit à leur hauteur et une puissante main aux ongles pailletés de mauve s'agita en un aimable salut. Lana et Clinton.

– Si vous savez qui je suis, observa Julie, vous savez également que j'ai de quoi vous dédommager pour votre Blazer. Je ne tiens pas à alerter la police.

– Très bien. Et si nous allions discuter de tout cela dans

mon auto ? Nous serions un peu plus au calme. Vous me raconterez tout et je verrai si je peux vous aider.

D'une poigne virile, le travesti la saisit par l'épaule et la guida vers la Blazer noire, juste derrière eux. Julie n'avait pas le choix ; pour l'instant, elle n'entrevoyait pas d'autre solution que d'accorder un minimum de confiance à son étrange compagnon. Elle le suivit donc sans protester, tout en songeant que cette décision n'était peut-être pas la plus intelligente qu'elle eût jamais prise.

3

Julie Carlson était aussi sensationnelle que Mac l'avait imaginée d'après ses souvenirs. Une peau couleur de miel, une poitrine opulente, des jambes interminables, une cascade de cheveux bruns qui devaient être du plus bel effet sur un oreiller – et des lèvres faites pour les baisers. Il l'avait aperçue pour la première fois à l'occasion de son mariage. À l'époque, il exerçait ses talents dans la police ; chargé d'assurer la sécurité, il ne l'avait pas lâchée des yeux, bien plus par fascination que par obligation professionnelle, tandis que, pour sa part, la jeune mariée ne lui avait même pas accordé l'aumône d'un regard. Elle ne voyait que son époux, l'illustre John Sidney Carlson IV, l'homme d'affaires auquel tout réussissait – entre autres le mariage. Ses secondes noces, ce jour-là.

À son habitude, Carlson avait organisé les choses avec faste : cérémonie grandiose, gigantesque garden-party réunissant plus d'un millier d'invités, dont le gouverneur et une impressionnante liste de personnalités de différents États, vaste couverture médiatique, télévision et journaux locaux, avec, pour couronner le tout, Julie Ann Williams, élue Miss Caroline du Sud l'année précédente, dans le rôle de la mariée.

Mac fit le compte : il y avait huit ans de cela. Depuis, l'eau avait coulé sous les ponts. Divers changements étaient intervenus, à commencer par son renvoi de la police de

Charleston, sans doute orchestré par Carlson lui-même. Mais cela ne représentait qu'un point secondaire dans l'histoire des relations houleuses entre les deux hommes ; l'essentiel concernait le frère de Mac. Daniel avait disparu un beau jour sans laisser de traces, quinze ans auparavant, et, avec le temps, Mac s'était peu à peu convaincu que Sid Carlson, ami d'enfance de Daniel, en savait bien plus qu'il ne voulait l'admettre.

Au début, la famille McQuarry – sa mère, sa grand-mère, sa tante et lui-même – avait voulu croire que Daniel avait souhaité s'offrir une escapade en oubliant de prévenir ses proches ; après tout, pour un garçon de vingt-cinq ans au tempérament aventureux, cela n'aurait rien eu d'extraordinaire. Puis, les mois passant, ils s'alarmèrent de ne pas recevoir de nouvelles. Lorsque les mois se transformèrent en années, ils échafaudèrent des hypothèses qui allaient de l'amnésie dans un hôpital isolé à l'incarcération dans un pays étranger.

Quand la mère de Daniel et de Mac était morte, dix ans plus tôt, elle se perdait encore en conjectures. Sur son lit de mort, elle avait fait jurer à Mac de retrouver son frère. Or, jusqu'à présent, il avait failli à cette promesse.

La dernière fois qu'il avait parlé à son aîné, c'était au téléphone. Daniel l'avait appelé en toute hâte pour décommander leur rendez-vous ; ils devaient assister à un match de base-ball, et Mac, qui avait dix-sept ans à cette époque, avait été déçu. Embarrassé, Daniel avait tenté de s'expliquer :

– J'ai un travail à finir pour Richie.

« Richie » était le nom de code que les deux frères avaient inventé pour désigner le richissime Sid Carlson. Richie leur en imposait, à eux qui n'étaient que les fils d'un modeste officier de police mort dans l'exercice de son devoir. Mac était resté perplexe : quelque chose, dans la voix de son frère, laissait à supposer que le « travail » en question n'était pas d'un genre très orthodoxe. Mais Daniel n'avait ajouté aucune précision et Mac s'était abstenu de l'interroger.

Plus tard, lorsqu'il était à son tour entré dans la police, Mac avait entamé des recherches sur ce qu'il avait pu advenir de son aîné, et Sid Carlson, bien sûr, figurait en haut de sa liste. Il n'espérait pas glaner grand-chose, et pourtant il avait découvert des détails insolites. Par exemple, la première femme de Sid avait quitté celui-ci à peu près au moment de la disparition de Daniel. Et, bizarrement, elle demeurait introuvable. Par ailleurs, selon une rumeur persistante, Sid avait partie liée avec des trafiquants de drogue. Or, si on prenait en compte le train de vie de Daniel, son aisance financière après une longue période de chômage, ses liens d'amitié avec Sid, il devenait évident que cette histoire de drogue jouait un rôle dans sa disparition. Mais comment en obtenir la preuve ?

Personne, dans les hautes sphères de la police, ne paraissait désireux d'enquêter sur Sid Carlson, notable trop en vue pour être inquiété. Fouiller dans les méandres de son existence, c'était courir au-devant des ennuis ; aussi les instances dirigeantes lui avaient-elles enjoint, avec un bel ensemble, d'abandonner cette affaire. Et puis on pouvait imaginer toutes sortes d'explications, dans la mesure où, pendant des années, Daniel avait flirté avec la délinquance. Alors, pourquoi pas un règlement de compte entre petits malfrats ? D'autre part, l'ex-femme de Sid était originaire de Californie, et sans doute était-elle retournée sur la côte ouest.

Enfin, lui avait-on indiqué, ses soupçons ne reposaient que sur des ragots. Sur des commérages incontrôlables, invérifiables.

Pourtant, Mac s'était obstiné, certain qu'il parviendrait à jeter la lumière sur les activités illicites de Sid Carlson. Et cela lui avait coûté sa place.

Aujourd'hui, par l'un de ces coups de chance auxquels il avait cessé de croire depuis longtemps, le destin lui offrait la possibilité d'en apprendre davantage. La sublime Julie Carlson était assise dans sa voiture, à trente centimètres de lui, visiblement effrayée par son mari. Et elle avait besoin de son aide.

Pour une fois, les dieux lui souriaient.

Il mit le moteur en marche pour allumer la climatisation, laquelle s'emballa : bientôt, l'habitacle se retrouva envahi par une atmosphère digne du désert subsaharien. Mac éteignit et baissa les vitres, jusqu'à ce que la température devienne un peu moins étouffante. Sur le boulevard extérieur, les bruits de la circulation formaient un arrière-fond indistinct.

– Une minute... dit Julie.

Dans son déshabillé de satin rose, elle était irrésistible. Sacré Richie, songea Mac. Il avait toujours eu une chance qu'il ne méritait pas et la beauté de sa femme en apportait une preuve flagrante.

Avant qu'elle pût ajouter un mot, Mac s'empara de son téléphone cellulaire, dans la boîte à gants, en même temps qu'il enclenchait la marche arrière afin de sortir du parking. À peine la Blazer eut-elle franchi la barrière qu'il composa quelques chiffres sur le cadran. Au bout dc trois sonneries, la voix de Hinkle lui répondit.

– Changement de programme, lui annonça Mac. Va au 85, Dumesnil Street pour prendre des photos. Edwards donne une petite fiesta et je veux un album souvenir.

– Moi ? s'indigna son associé. Et toi, alors ? Tu te dégonfles au moment où ça commence à devenir intéressant ?

– Quelqu'un a embouti mon auto et il faut que je règle cette histoire. Ça va prendre un bon bout de temps. Alors, occupe-toi des photos.

Maintenant qu'ils roulaient sur la chaussée, une brise marine venait rafraîchir l'intérieur du véhicule. Sidérée, Julie le fixait sans mot dire. Mac réprima un sourire de satisfaction. La femme de Richie tombait entre ses mains comme un cadeau du ciel.

Il n'osait encore croire à sa chance.

– Edwards ne m'a aperçu qu'un quart de seconde, objecta Hinkle, et entre-temps, bourré comme il l'est, il m'aura oublié. Ça m'étonnerait qu'il m'ouvre sa porte.

– Tu n'as qu'à acheter une pizza et lui faire le coup du livreur. De toute façon, comme il y aura foule, personne ne remarquera ta présence.

La circulation s'était dégagée. Mac doubla une grosse Ford blanche et se dirigea vers le sud. Si les deux braqueurs étaient des professionnels, ils avaient emmené la Jaguar le plus loin possible du centre-ville. En revanche, s'il s'agissait d'amateurs, ils s'étaient simplement payé une équipée à bord de la luxueuse automobile, auquel cas on ne tarderait pas à la retrouver abandonnée dans un terrain vague des environs.

– Je ne tiens pas à aller où que ce soit, intervint Julie Carlson. J'aimerais mieux que vous me rameniez au parking.

Comme il ignorait ses protestations, elle tendit la main vers la poignée de sa portière. Espérait-elle lui fausser compagnie, alors qu'ils roulaient déjà à bonne allure ? s'affola Mac. Mais non. Les doigts de la jeune femme se crispèrent sur eux-mêmes, et là s'arrêta sa tentative d'évasion.

– N'importe quoi ! s'égosilla Hinkle dans le téléphone. Un Black hétéro qui joue les paparazzi en plein milieu d'une partouze entre Blancs, tu te figures que ça ne risque pas d'attirer l'attention ? Ils vont me passer à tabac, oui !

– Mais non, je te fais confiance, tu te débrouilleras comme un chef. Tu n'as qu'à endosser le rôle du voyeur.

– Pourquoi est-ce toujours sur moi que ça tombe, ce genre de plan pourri ?

– Parce que la vie n'est qu'injustice, ô mon fidèle compagnon.

– Tu parles !

Mac freina à un feu rouge et, sans écouter les ultimes protestations de son infortuné coéquipier, coupa la communication.

– Que se passe-t-il ? s'enquit Julie, incapable de dissimuler sa stupeur.

– Oh, rien. J'étais censé prendre quelques photos lors d'une fête et maintenant, grâce à vous, je dois annuler. Mais peu importe. L'un de mes amis va se faire un plaisir de s'en charger à ma place.

Elle n'avait toujours pas lâché la portière.

– Vous comptez descendre en marche ? reprit-il d'un ton uni.

– Non, dit-elle en rougissant.

– Tant mieux. En principe, c'est mortel.

Elle blêmit.

Le feu passa au vert et Mac s'orienta vers le carrefour, sur la droite, en direction de la Batterie ; d'après son expérience d'ancien policier, c'était l'endroit idéal pour abandonner une voiture volée. L'air qui lui parvenait de l'extérieur ayant encore fraîchi, il remonta les vitres.

Julie Carlson, dans sa nervosité, se mordait la lèvre inférieure, ce qui la rendait d'autant plus séduisante, observa Mac, et il s'en voulut aussitôt. Ce n'était pas le moment de craquer pour la femme de Richie.

– Vous vous demandez si je suis en train de vous enlever ? interrogea-t-il tout à trac.

Elle cessa de se mordiller la lèvre. Dieu merci.

– Peut-être, reconnut-elle. C'est le cas ?

Il y avait du défi dans sa question – et dans le regard qu'elle lui lança. Pas mal, apprécia-t-il. Elle avait du cran.

– Mais non, répondit-il d'une voix flûtée. Vous êtes en sécurité avec moi comme avec votre chère maman.

Sur les trottoirs, une foule bigarrée déambulait dans le halo des réverbères ; quelques-uns étaient ivres, d'autres racolaient plus ou moins ouvertement, d'autres encore s'engouffraient dans des bars douteux.

– Vous savez, Debbie, opina Julie Carlson, maintenant que j'ai les idées un peu plus claires, je pense que je devrais appeler la police.

Debbie ? L'espace d'un instant, Mac se demanda de qui elle parlait. Puis il se souvint de son personnage de dragqueen. Pour le prénom, il avait fait preuve d'un manque flagrant d'imagination : il n'avait rien trouvé de mieux que de choisir celui de son ex-femme.

Quant à l'aspect physique qu'il offrait à son interlocutrice, il se remémora l'image qu'il avait aperçue dans le miroir des toilettes pour dames, au Pink Pussycat. Une horreur. Pas étonnant que Julie Carlson se sente mal à l'aise.

– Je croyais que vous ne souhaitiez pas que votre mari soit au courant ? fit-il.

Elle se remit à se triturer la lèvre inférieure. La gorge nouée, Mac s'exhorta à détourner la tête et à scruter les alentours en quête d'une Jaguar.

– En effet, admit-elle. Mais...

– Alors, si nous essayions de retrouver votre voiture ?

– C'est faisable, à votre avis ?

Mac n'était pas sûr d'aider la jeune femme à éviter la colère de son mari mais du moins pouvait-il tenter de récupérer la Jaguar.

– Peut-être, dit-il. Cela dépend. Il se peut que quelqu'un ait passé commande pour une voiture de ce modèle. Ou bien les braqueurs espèrent la revendre par pièces détachées. Personnellement, je parierais plutôt sur l'option « pièces détachées ».

– Une commande ? répéta-t-elle, incrédule.

Il vira à gauche dans Bay Street et accéléra afin de dépasser les calèches qui promenaient les touristes dans le quartier historique à toute heure du jour ou de la nuit et ralentissaient la circulation dans l'ensemble du centre-ville. Dans le lointain, la baie paraissait d'un noir d'encre, à l'exception de quelques touches de lumière sur la ligne d'horizon – des paquebots au mouillage. Une corne de brume émit son mugissement mélancolique.

– Ça arrive tout le temps, expliqua-t-il, surtout avec des autos de ce type.

Mac bénéficiait d'une vue plongeante sur les cuisses de sa compagne, que ne masquait guère le short de satin rose. Il se demanda si sa peau était aussi douce qu'elle en avait l'air et se reprocha aussitôt le tour que prenaient ses pensées. Pour faire diversion, il reprit son portable et composa quelques chiffres tout en questionnant la jeune femme :

– Quel est votre numéro d'immatriculation ?

Quand elle le lui eut indiqué, il acquiesça d'un signe de tête.

La voix rauque de Mama Jones résonna au bout d'une bonne demi-minute :

– Ouais ?

Mama Jones, l'un des receleurs les mieux cotés de Charleston, s'était spécialisé dans l'industrie automobile, version recyclages en tous genres. En tant que policier, Mac l'avait arrêté un nombre incalculable de fois. Mais sitôt appréhendé, sitôt relâché : l'homme était un abonné des postes de police comme du palais de justice. Il se trouvait toujours un magistrat pétri d'indulgence pour l'inscrire dans un programme de réinsertion, non sans lui infliger, à titre de pénalité, quelques semaines de travaux d'utilité publique. Les services sociaux le connaissaient comme le loup blanc et, aux yeux des greffiers du tribunal, il faisait quasiment partie du décor. Avec les années, Mac avait fini par s'habituer à son omniprésence, voire à éprouver pour lui une certaine sympathie. Mama Jones n'avait pas de sang sur les mains et, quand on le connaissait, on s'apercevait qu'il n'était pas si mauvais bougre que cela.

Si quelqu'un pouvait le seconder avec efficacité dans ses recherches, c'était bien son multirécidiviste préféré.

– Qu'est-ce qu'il y a pour ton service ? demanda Mama Jones, toujours obligeant.

Après lui avoir transmis le signalement de la Jaguar, Mac poursuivit :

– Cette voiture appartient à l'une de mes amies. Son mari, qui est une sombre brute, va se mettre dans une colère noire si jamais il apprend qu'on la lui a piqué. Elle est là, à côté de moi, et elle pleure, la pauvre petite. Elle tremble de peur, tu comprends, elle n'ose pas rentrer chez elle.

Suffoquant d'indignation, la jeune femme le foudroya du regard.

– Ben dis donc ! s'écria le receleur.

Mac avait touché la corde sensible. Bon époux, bon père – il avait six filles –, Mama Jones ne supportait pas que l'on maltraite les créatures du beau sexe.

– Ces mecs-là, faudrait les enfermer pour le restant de leurs jours, commenta-t-il noblement.

– Je ne te le fais pas dire... Bon. Alors, tu peux nous aider ?

Mama Jones, qui n'était quand même pas un saint, marqua une pause avant de spécifier :

– Pas de problème, mais ça risque de te coûter un max.

– C'est d'accord.

Avec la fortune de Richie, Julie Carlson avait les moyens de financer l'opération.

– Je vais passer quelques coups de fil, promit le receleur, et voir ce que je peux récolter comme infos. Je te tiens au courant. C'est quoi, déjà, ton numéro de portable ?

Mac le lui indiqua puis, après les remerciements d'usage, raccrocha.

– Ce ne sera pas gratuit, dit-il à sa passagère. Sans doute dans les deux mille dollars. Et encore, rien ne prouve que ça marchera.

– Je comprends. Mais je n'arrive pas à croire qu'on me réclame de l'argent pour récupérer une voiture qui m'appartient !

– Si vous refusez, je rappelle mon correspondant et on annule l'opération.

– Non, surtout pas !

Il crut déceler de la panique dans sa voix. Au fond, il n'avait qu'à moitié menti en affirmant à Mama Jones qu'elle redoutait son mari. Et cela le contraria.

– Il demandera à être payé rubis sur l'ongle. S'il réussit à mettre la main sur votre Jaguar.

– Je peux lui signer un chèque. Enfin, lorsque je serai rentrée chez moi. Mon portefeuille, quant à lui, est resté dans mon sac. Qui est dans l'auto, ainsi que je vous l'ai expliqué.

Un chèque. Mac soupira :

– Ma jolie, ce genre de transaction s'effectue en liquide.

– Quand j'irai chercher ma carte bleue à la maison, je pourrai me rendre à un distributeur. Sauf que le retrait maximum, je crois, est de deux cents dollars par semaine.

Certes, avec une somme pareille, elle ne risquait pas d'aller très loin. Mac se souvint alors de l'avance que lui avait versée Elizabeth Edwards quelques heures plus tôt. L'argent se trouvait chez lui, à l'abri, en attendant d'être déposé à la banque le lendemain matin. Il s'imagina la réaction de Hinkle si celui-ci venait à soupçonner ce qu'il comptait faire de leur pécule. Il hésita puis se jeta à l'eau :

– Je peux vous prêter deux mille dollars à condition que vous me remboursiez au plus vite.

L'épouse de Sid Carlson étant plus que solvable, Mac se doutait qu'il n'y avait pas lieu de s'inquiéter.

– Oui, oh, oui ! Merci.

– Je vous en prie, répondit-il d'un ton plus sec qu'il ne l'aurait voulu.

Elle avait les larmes aux yeux. Déglutissant avec peine, il s'interdit de se laisser attendrir.

Elle lui était reconnaissante ? Tant mieux. Cela servait ses projets. Avec Julie Carlson comme alliée dans la place, il parviendrait peut-être à glaner des renseignements intéressants sur Richie.

Mac avait le sourire aux lèvres tandis qu'il contournait un restaurant cajun pour s'engager dans une ruelle bordée de petites maisons aux toits de tuile. Correctement entretenues, presque pimpantes, elles avaient cependant connu des jours meilleurs. Il se gara entre deux motos, sous un bosquet de cyprès.

– Où sommes-nous ? s'enquit la jeune femme, à moitié rassurée.

– Chez moi. C'est là que j'ai laissé mon argent. Une somme assez importante, pour une fois... Et puis, si mon correspondant retrouve votre voiture, il nous fixera rendez-vous. Or je ne tiens pas à ce qu'il me voie dans cette tenue, ajouta-t-il en désignant son maquillage, ses boucles blondes et sa minijupe.

– Bien sûr, approuva-t-elle, compatissante. Il ne... il n'est pas au courant ?

– Non. Il n'est pas au courant... Bien. Vous venez ? Ou préférez-vous rester dans la voiture, si vous n'avez pas confiance ?

Elle lança un coup d'œil à la ronde. En dehors d'un vieil homme qui promenait son labrador, l'endroit était aussi désert qu'un élevage de dindes au lendemain de Noël.

– J'aime autant vous accompagner, si cela ne vous dérange pas, répondit-elle.

Elle ouvrit sa portière pendant qu'il ôtait sa perruque et se grattait la tête avec énergie. Puis il sortit à son tour de la Blazer, actionna le verrouillage automatique et se dirigea vers l'une des maisonnettes. Tandis qu'ils cheminaient côte à côte, il pouvait entendre le bruissement du satin sur les jambes de la jeune femme et, pour la première fois de son existence, il regretta de ne pas être sourd.

Il poussa un battant de bois, sous un petit auvent, et s'effaça devant Julie.

4

Le petit caniche blanc qui les accueillit avec force jappements enthousiastes rassura Julie, du moins en partie. L'animal, toiletté avec soin, arborait un collier incrusté de strass et la jeune femme se prit à songer que seul un individu parfaitement inoffensif – fût-ce une drag-queen – pouvait posséder ce genre de chien.

– Salut, toi ! dit-elle en se penchant vers le quadrupède.

Après l'avoir flairée, le caniche se hissa sur ses pattes arrière et tendit la tête dans sa direction pour quémander une caresse. Oui, un brave petit chien. Donc, un maître plutôt sympathique.

– Il est à vous ? demanda-t-elle à Debbie afin d'en avoir le cœur net.

– Oui. Je vous présente Josephine.

Il avait prononcé ces mots avec une sécheresse qui la surprit, comme s'il gardait quelque rancune envers l'animal. Elle l'observa à la dérobée : ses cheveux, une fois retirée sa perruque platine, étaient d'un blond cendré. Leurs boucles s'étaient emmêlées, formant une tignasse typiquement masculine, en contraste avec l'épais maquillage de son visage.

– Josephine est adorable, remarqua-t-elle en toute sincérité.

– N'exagérons rien, ce n'est pas un ange ! lâcha-t-il avec une moue dégoûtée.

Pourtant, il aimait beaucoup cette petite chienne, cela s'entendait à sa voix. Josephine, quant à elle, s'agitait, heureuse de vivre, avec l'innocente exubérance des animaux bien traités.

– Pas plus tard que ce matin, expliqua-t-il, elle m'a dévoré une paire de chaussettes. La semaine dernière, l'un de mes mocassins n'a pas survécu à ses débordements d'amitié. Elle a trois ans. Plus jeunes, paraît-il, les chiens ont besoin de se faire les dents, mais il semble qu'elle ait décidé de continuer sur sa lancée.

D'un geste large, il désigna le salon où ils venaient de pénétrer :

– Installez-vous. Je reviens dans une minute.

Sur ces paroles, il pivota avec plus ou moins d'élégance sur ses talons aiguilles et s'éloigna vers l'intérieur de la maison en allumant la lumière sur son passage.

Les murs, autour de Julie, étaient blanchis à la chaux ; un tapis élimé recouvrait le parquet ciré. Des rideaux de toile encadraient l'unique fenêtre, qui donnait sur la ruelle, et un canapé beige trônait au centre de la pièce, devant une table basse en chêne, face à deux fauteuils de velours marron. La télévision était reléguée dans un angle, près d'une chaîne hi-fi. Divers journaux et périodiques traînaient un peu partout sur les sièges et sur la table basse. En guise de décoration, quelques photos de paysages ornaient les murs.

Curieux, se dit la jeune femme. Étant donné le style flamboyant de l'occupant de ces lieux, elle se serait plutôt attendue à un univers ultra kitsch, rose bonbon et dorures psychédéliques, pompons, froufrous et falbalas, genre *Cage aux folles*. Mais non. Ici régnait l'austérité, ainsi qu'un manque d'intérêt évident envers l'art et la manière de tenir une maison. L'ensemble apparaissait propre mais dénué de charme. Bref, la tanière d'un célibataire – et non le palais de Schéhérazade.

Julie prit place sur le canapé, ausitôt rejointe par Josephine, qui s'assit d'office à côté d'elle, la tête sur ses genoux. Tout en caressant le petit caniche, elle jeta un coup d'œil aux magazines épars autour d'elle : deux hebdomadaires d'informations générales, trois vieux numéros du *National Geographic*, un mensuel de tourisme. Rien à voir avec *Vogue*.

Elle se tourna vers la cheminée, en quête d'une pendule. Bien sûr, elle n'avait pas pensé à emporter sa montre. Sid, en général, rentrait vers 3 heures du matin, quelquefois 3 h 15, elle avait guetté son retour assez souvent pour connaître ses horaires par cœur. Cela signifiait que, si elle voulait que son absence passe inaperçue, elle devrait regagner sa maison à 3 heures au plus tard. Avec la Jaguar.

Quelles étaient ses chances ?

Aucune horloge à l'horizon. Trop inquiète pour rester assise, Julie se rendit à la cuisine, contiguë au salon. Joséphine lui emboîta le pas ; ses griffes cliquetaient sur le sol. La cuisine, en forme de L, révélait elle aussi une totale absence de décoration. À l'extrémité, l'endroit en principe destiné à accueillir une table et quelques chaises avait été converti en une sorte de bureau, avec une table métallique surmontée d'un ordinateur, une chaise et deux meubles de rangement. Et une pendule murale.

1 h 58. Elle disposait d'un peu plus d'une heure pour retrouver sa voiture et rentrer chez elle.

Elle revint sur ses pas en se mordillant nerveusement un ongle et retourna au salon. À cet instant, Debbie sortit de la chambre. Il avait dû effectuer un crochet par la salle de bains, car il tenait à deux mains une serviette-éponge avec laquelle il se frictionnait vigoureusement la tête.

Il portait un jean mais demeurait torse nu.

Un torse on ne peut plus masculin : de larges épaules, des bras musculeux, un duvet brun presque invisible sur la peau bronzée. Son jean à taille basse, d'un âge vénérable, mettait en valeur un ventre plat, musclé. En un mot, c'était bien le dernier homme que l'on aurait pu imaginer en drag-queen.

Il finissait de s'essuyer la tête. Toute trace de maquillage avait disparu de son visage et ses cheveux blond cendré, qu'il venait de laver, luisaient d'un reflet fauve. Julie contempla son beau visage énergique au nez droit, aux mâchoires carrées. Sans l'effet déformant de l'ombre à paupières, ses yeux étaient d'un bleu clair, lumineux. Bref, sous son aspect masculin, Debbie était superbe.

Bouche bée, la jeune femme resta en arrêt quelques secondes de trop tandis que toutes sortes d'idées inopportunes se bousculaient dans son esprit.

– Vous êtes gay ?

La question avait jailli d'elle-même, avant qu'elle ait pu la retenir. Julie se mordit la langue, consternée par sa propre balourdise. Un long silence s'étira, durant lequel il la dévisagea, les yeux rétrécis. Elle aurait voulu rentrer sous terre.

– Cela vous pose un problème ? questionna-t-il d'un air dépourvu d'aménité.

– Non, oh non, pas du tout, absolument pas, débita-t-elle tout à trac, d'une voix qui sonnait tellement faux qu'elle se sentit virer au rouge écarlate. Chacun mène sa vie comme il l'entend, ça ne me concerne pas, d'ailleurs j'ai d'excellents amis homosexuels et je...

C'était si mauvais qu'il valait mieux qu'elle s'arrête là. À chaque mot, elle s'embourbait davantage. Autant pour ses talents de comédienne. Dès lors qu'il s'agissait de mentir, Julie était nulle, et elle le savait. Cela ne la « concernait » pas qu'un homme comme lui ne fût pas attiré par les femmes ? Allons donc ! À ses yeux, c'était là un immense gâchis.

– Très bien, répondit-il.

Il s'éclipsa en direction de la chambre et refit son apparition quelques instants plus tard, vêtu d'un T-shirt noir qui moulait admirablement sa carrure athlétique. Il avait troqué ses talons aiguilles contre d'honnêtes tennis de toile blanche.

– Je pense qu'il vaudrait mieux que je rentre chez moi, se justifia-t-elle, mal à l'aise. Combien de temps faudra-t-il pour retrouver la trace de ma voiture, à votre avis ?

– Ce ne sera pas très long. Mon correspondant téléphonera dès qu'il aura du nouveau. Voulez-vous que je vous ramène d'abord chez vous et que je vous rappelle plus tard pour la Jaguar ?

Elle se mordit la lèvre inférieure tout en réfléchissant à haute voix :

– Non. Sid remarquerait tout de suite son absence. Il faut à tout prix qu'elle soit là. Et je dois être rentrée aux environs de 3 heures.

– Vous avez peur de lui, on dirait ?

– De Sid ? Non !

Elle avait parlé trop vite, trop fort.

– Non, pas vraiment, reprit-elle. C'est juste que... Sid ne va pas du tout apprécier s'il s'aperçoit que je suis sortie cette nuit.

– Madame Carlson, demanda-t-il doucement, que faisiez-vous dehors à une heure pareille, dans cette tenue ?

Il fixa sur elle un regard interrogateur – qui, pour une raison inexplicable, dérapa le long de sa nuisette de satin en détaillant le galbe de ses seins, la courbe de ses hanches, avant de s'attarder sur ses longues jambes dénudées. Elle avala sa salive avec difficulté :

– Eh bien, je n'ai pas pris le temps de m'habiller, je me suis précipitée hors de mon lit, j'ai enfilé des baskets et je suis descendue au garage. J'étais dans ma voiture, je ne pensais pas que j'aurais à en sortir.

– Ah bon, dit-il, sceptique.

Qu'allait-il se figurer ? Qu'elle courait en pleine nuit à un rendez-vous galant ?

– C'est la stricte vérité, insista-t-elle.

– Je n'en doute pas, acquiesça-t-il sans conviction. Voulez-vous boire quelque chose ? Je peux vous proposer de l'eau minérale, du jus d'orange, de la bière...

Lorsqu'il rebroussa chemin en direction de la cuisine, il frôla la jeune femme de si près que, troublée, elle recula. Elle ne vit Josephine qu'au dernier moment, à quelques centimètres d'elle, et, pour l'éviter, elle tenta un pas de côté qui la fit trébucher. Debbie tendit le bras pour la retenir puis, quand Julie recouvra son équilibre, elle remarqua une trace de sang sur son propre coude. Elle s'était blessée en tombant dans le parking ; l'écorchure, superficielle, était indolore, mais le sang continuait de couler.

Debbie, qui avait suivi son regard, lui saisit le poignet pour examiner son coude :

– Vous permettez ?

– Ce n'est rien. Juste une égratignure.

– Quel courage ! opina-t-il avec un sourire. Moi, la vue du sang me fait défaillir. Alors vous m'autoriserez à vous préparer un petit pansement.

Il plaisantait, elle le voyait à ses yeux pétillants, mais elle l'accompagna à la salle de bains sans essayer de protester. Au passage, elle entrevit quelques pièces donnant sur le couloir, dont une chambre au vaste lit défait ; des vêtements gisaient en désordre sur un fauteuil à bascule ainsi que sur un tapis proche de la fenêtre. Une commode aux tiroirs ouverts laissait s'échapper une pile de T-shirts. Quant à la petite salle de bains, carrelée de vert du sol au plafond, elle n'avait connu aucune tentative de rénovation depuis nombre d'années. Le lavabo et la baignoire étincelaient d'une blancheur chirurgicale, utilitaire. Une odeur de savon flottait dans l'air. Quelques gouttes d'eau ruisselaient encore sur le rideau de la douche.

Après avoir désinfecté la plaie à l'aide d'un flacon d'antiseptique – Julie serra les dents sous la brûlure –, il ouvrit un placard à pharmacie, près de la porte, et en sortit une boîte de pansements prédécoupés. Dans l'espace exigu de la salle de bains, la jeune femme ébaucha un mouvement qui faillit la plaquer contre son compagnon. Elle s'écarta aussitôt, mais trop tard : elle avait senti un courant électrique la parcourir tout entière. Elle avait eu une réaction physique à son contact, alors qu'elle savait de tout son être que cet homme-là n'était pas pour elle – et cela, elle ne s'y attendait pas.

L'avait-il remarqué ? Impossible à dire. Quand leurs regards se croisèrent dans le miroir du lavabo, il gardait une expression indéchiffrable.

– Quel âge avez-vous ? demanda-t-il abruptement.

– Vingt-neuf ans, répondit-elle, prise au dépourvu. Et vous ?

– Trente-deux... Voilà, c'est fini.

Il recula d'un pas tandis qu'elle se frottait le bras pour mieux faire adhérer le pansement.

– Et votre mari ?

– Quarante ans.

– Un peu vieux pour vous, non ? Vous devez être sa seconde femme.

Elle se passa les mains sous l'eau :

– Oui. Et alors ?

Il lui tendit une serviette de toilette sans la quitter des yeux :

– Qu'est-il arrivé à la première ? Il l'a laissée tomber pour vous ?

– Non, ils ont divorcé voilà des années.

– Vous l'avez déjà rencontrée ?

– Non, répondit-elle en continuant de s'essuyer les mains. Elle était partie depuis longtemps quand j'ai rencontré Sid... Qu'est-ce que c'est ? Un interrogatoire ?

Il détourna le regard, toujours aussi impénétrable.

– Excusez-moi. Un peu de curiosité, c'est tout.

Lorsqu'elle regagna le salon, le caniche sur ses talons, Julie s'installa dans l'un des fauteuils pendant que Debbie allait chercher des glaçons à la cuisine. À son retour, elle accepta le verre d'orangeade qu'il lui offrit. Il s'assit en face d'elle, sur le canapé, puis, changeant d'avis, il se leva et, les bras croisés, toisant Julie de toute sa hauteur, il s'adressa à elle sur le ton inflexible d'un juge d'instruction :

– Corrigez-moi si je me trompe : vous jaillissez du lit,

vous sautez dans vos baskets puis, de là, dans votre auto, après quoi vous roulez joyeusement dans les rues de Charleston, le tout en plein milieu de la nuit. Cela vous ennuierait de m'expliquer pourquoi ?

– J'avais envie de sortir un peu...

Il hocha la tête avec une telle expression d'incrédulité qu'elle préféra mettre les choses au clair :

– Écoutez, je suis navrée d'avoir endommagé votre voiture, par ailleurs je vous suis très reconnaissante de m'avoir secourue et, si vous pouvez m'aider à récupérer la Jaguar, je vous bénirai jusqu'à la quarantième génération, mais, pour ce qui est de ma vie privée, vous laissez ça de côté, compris ?

– Donc vous trompez votre mari... susurra-t-il.

– Jamais de la vie !

Devant l'indignation de Julie, il ouvrit les mains en un geste d'apaisement :

– D'accord, d'accord... Si vous ne voulez pas qu'on en parle, très bien. Néanmoins, si vous vous promenez en sous-vêtements au beau milieu de la nuit, visiblement terrorisée par votre mari, j'en déduis qu'il y a quelque chose qui ne tourne pas rond et que, peut-être, vous avez besoin d'un ami.

Le sourire qu'il lui lança était si désarmant qu'elle faillit chavirer. Reprenant ses esprits, elle songea que sa proposition n'était pas si absurde, après tout : en effet, vu les circonstances, la présence d'un ami à ses côtés ne serait pas du luxe.

– Il s'agit d'un déshabillé, rectifia-t-elle pour la forme. Pas de sous-vêtements.

– Pardon. Je m'en souviendrai.

– Comment se fait-il que vous connaissiez mon nom ?

Il laissa s'écouler un moment avant de répondre d'un air dégagé, les mains dans les poches de son jean :

– Je vous ai croisée en ville, ici ou là. Vous possédez une boutique de vêtements de luxe dans Summerville, si je ne m'abuse ? Des robes de soirée, des bustiers, des jupons... Rien qui soit à ma taille, hélas ! ajouta-t-il dans un sourire. Vous devriez faire un effort. Nous autres, les filles un peu baraquées, on a bien le droit d'être élégantes, non ?

Julie ne put réprimer un petit rire à l'idée du malheureux Debbie essayant d'entrer dans l'une de ses somptueuses tenues dont aucune ne dépassait la taille 38.

– Promis, j'y penserai, assura-t-elle.

Elle leva son verre dans sa direction, comme pour boire à sa santé, et termina son orangeade. Soudain, elle redescendit sur terre :

– Mon Dieu ! Quelle heure est-il ?

Elle bondit sur ses pieds afin d'aller consulter la pendule de la cuisine quand il l'interrompit d'un signe de tête : en dessous de la télévision, le magnétoscope affichait 2 h 12. Durant tout le temps qu'elle avait passé dans cette pièce, Julie n'avait pas remarqué les chiffres minuscules.

– Il faut que je rentre.

Cependant, Debbie ne semblait guère disposé à la laisser partir. Un bras sur son épaule, il la reconduisit vers son fauteuil.

– Madame Carlson, je ne suis pas un ami de votre mari. Tout ce que vous pourrez me dire restera entre nous, je vous en donne ma parole.

Pour quelle raison avait-elle envie de lui accorder sa confiance ? Elle n'aurait su le dire. Mais quelque chose en lui, malgré ce qu'il était, avait le pouvoir de l'apaiser. Peut-être parce que, contre toute attente, il lui semblait solide.

– Je crois... je crois que Sid me trompe.

– Ah. Et pourquoi pensez-vous cela ?

Tout à coup, elle mesura à quel point elle avait besoin de parler, de se livrer à quelqu'un. Les mots lui venaient de plus en plus facilement pendant qu'elle lui racontait ses soupçons sur Sid, la porte du garage, la filature dans les rues de Charleston...

– Attendez, coupa-t-il. Vous êtes en train de m'expliquer

que vous le suiviez dans votre propre voiture ? Une Jaguar ? Vous n'avez pas eu peur qu'il vous aperçoive dans son rétroviseur ?

– Non. Enfin, si. Enfin, je ne sais plus. À vrai dire, je n'y ai pas réfléchi sur le moment.

– Eh bien, ma jolie, vous avez de la chance s'il ne vous a pas vue !

– Mais, justement, il ne m'a pas vue, j'en suis sûre ! Sinon, je m'en serais rendu compte. Sid n'est pas si malin que ça. Il se serait trahi.

– Bon. Admettons. L'idée ne vous a pas effleurée qu'il ne s'agissait peut-être que d'une escapade sans conséquence ? Qu'il sortait faire un petit tour, rien de plus ?

– Dans un quartier chaud où on peut admirer une prostituée tous les trois mètres, entre deux sex-shops ? Ça m'étonnerait beaucoup ! Et puis... j'ai découvert un autre indice.

– Ah oui ? Lequel ?

– Lundi, j'ai trouvé huit comprimés de Viagra dans son placard à pharmacie. Mais, hier soir, il n'en restait plus que six. Et... et...

– Et vous n'en êtes pas l'heureuse bénéficiaire, c'est ça ? Je vois... Cela lui arrive souvent de découcher ?

– Le mois dernier, par exemple, il s'agissait de deux ou trois soirs par semaine, en général le week-end. Cela dépend. Je monte dans la chambre vers 23 heures et il s'en va aux alentours de minuit.

– L'avez-vous déjà suivi ?

– Non.

– Alors...

Une sonnerie stridente l'interrompit. Attrapant son portable au fond d'une poche de son jean, il décrocha. Son interlocuteur invisible dut lui annoncer une mauvaise nouvelle, car il poussa un juron. Julie quitta son fauteuil et, s'approchant de lui, retint son souffle en remarquant son expression contrariée.

– OK, dit-il. On fait comme ça... Oui... Je te rappelle.

Il coupa la communication et remit son téléphone dans sa poche.

– Alors ? s'enquit-elle sans grand espoir.

– Les amis de Mama Jones, mon correspondant, ont retrouvé votre Jaguar. Mais trop tard. Les loubards avaient tout embarqué : le moteur, les pneus, la stéréo.

5

– Oh non !

Julie eut l'impression qu'elle allait s'écrouler, vidée de ses forces. Le salon tanguait autour d'elle, les murs se disloquaient sous ses yeux.

– Attention !

D'un bond, Debbie fut auprès d'elle pour la soutenir. Tandis qu'elle vacillait entre ses bras, il l'aida à regagner son fauteuil et, l'espace d'un instant, il la tint serrée contre lui dans une étreinte ferme et chaleureuse à la fois.

– Allons, allons, murmura-t-il, ne vous affolez pas. Il existe forcément une solution.

– Laquelle ? À part le suicide, je ne vois pas ! fit-elle.

– C'est un peu excessif, vous ne trouvez pas ?

À ses intonations, elle comprit qu'il souriait, ce qu'elle vérifia en lui jetant un coup d'œil. Aussitôt, elle se redressa, un peu rassérénée – mais tout aussi pessimiste.

– Dans votre situation, reprit-il, beaucoup de femmes envisageraient le divorce, simplement.

– J'y ai pensé. Mais pour moi, le divorce, ce n'est pas une mince affaire.

La séparation de ses parents et le remariage de sa mère avaient laissé à la jeune femme des cicatrices indélébiles. Elle s'était toujours juré que, si elle se mariait, ce serait pour la vie.

– Les gens divorcent tous les jours, à l'heure actuelle, insista-t-il.

– Peut-être, mais pas moi.

Elle préféra changer de sujet :

– Le plus raisonnable, dans l'immédiat, serait que j'aille trouver la police pour signaler le vol de la Jaguar. Sid apprendra la vérité, de toute façon.

Cette pensée lui soulevait l'estomac. De colère ? Non. De peur ? Oui. Mon Dieu, se dit-elle, quand avait-elle commencé à craindre Sid ?

– Et si vous rentriez chez vous, en remontant tranquillement dans votre chambre ? suggéra-t-il. Pendant ce temps, je pourrais forcer la porte de votre garage. À son retour, votre mari constaterait l'absence de la Jaguar et alerterait la police, qui trouverait des traces d'effraction. La voiture disparue, on conclurait à un vol à l'intérieur du garage. Cela résoudrait tous les problèmes d'un seul coup, vous ne croyez pas ?

– Mais cela m'obligerait à mentir à la police, et c'est un délit, que je sache.

Il balaya l'objection d'un geste de la main :

– Tout est un délit, selon le point de vue qu'on adopte. Jeter un papier gras sur le trottoir, c'est un délit. Le meurtre lui aussi constitue un délit. C'est la gravité du délit qui fait la différence. Celui-là ne serait pas un crime bien méchant... Sinon, il vous reste toujours une option : tout raconter à votre mari, de A à Z.

Elle soupira, résignée.

– Adjugé. Va pour le mensonge.

– Bien, très bien, même, approuva-t-il avec un sourire d'encouragement.

– Mon portefeuille a disparu, lui aussi... Enfin, je peux toujours expliquer que je l'avais laissé dans la voiture. Ce qui est la stricte vérité, d'ailleurs.

– Ne pensez plus en termes de vérité et de mensonge, et, vous verrez, vous vous sentirez beaucoup mieux.

La mort dans l'âme, elle acquiesça. Puis, tout à coup, une idée atroce lui traversa l'esprit :

– Et si la police arrête les deux casseurs qui m'ont pris la Jaguar ? S'ils disent où ils l'ont trouvée ?

– Personne ne les rattrapera jamais. Dans ce genre d'histoire, les voleurs s'en tirent toujours.

– Vous êtes sûr ?

– Sûr et certain.

Prenant une profonde inspiration, elle regarda par-dessus son épaule : l'horloge du magnétoscope indiquait 2 h 15. Plus moyen de tergiverser. Il fallait se décider. Et vite.

– D'accord. Maintenant, il faut que je parte. Sid va revenir vers 3 heures.

– Pas de problème. Nous y allons. Laissez-moi juste une minute, que j'aille chercher une paire de gants.

– Des gants ?

– Pour les empreintes digitales. Je ne vais quand même pas semer des indices sur la porte de votre garage, précisa-t-il avec une gravité toute professionnelle.

Il s'éclipsa, pour revenir avec une paire de gros gants de laine noirs, puis, tandis qu'ils se dirigeaient vers l'entrée, tous deux avisèrent en même temps Josephine qui, dans un angle du couloir, déchirait voluptueusement un numéro de *Newsweek* entre ses dents. Selon toute apparence, la petite chienne avait sélectionné la proie idéale. Autour d'elle s'élevait une pile de confettis – les derniers vestiges de différents magazines, dont l'un exhibait en couverture une photo du Président des États-Unis.

Debbie leva les yeux au ciel :

– On est peu de chose en ce bas monde !

– Même si Josephine a quelques défauts, observa Julie, réconfortante, vous avez de la chance qu'elle soit là. Moi, je rêve d'avoir un chien depuis des années, mais Sid refuse. À cause des dégâts qu'il pourrait causer dans la maison, justement.

Il soupira sans répondre.

Dehors, la chaleur moite apaisa Julie. Elle se rendit compte qu'elle commençait à avoir froid, sans doute sous l'effet de l'angoisse. L'air embaumait le jasmin, ce qui lui parut délicieux en cet instant.

La ruelle était toujours déserte ; quelques phalènes tournoyaient dans le halo des réverbères. Seules deux maisonnettes, plus bas vers le boulevard, gardaient encore leurs fenêtres éclairées. Une chouette hulula, puis le silence retomba.

Debbie contourna la Blazer pour lui ouvrir la portière passager avant de s'installer au volant et Julie songea que, n'eût été le léger obstacle de ses préférences sexuelles, il incarnait à la perfection le style d'homme dont raffolaient toutes les femmes.

Y compris elle-même.

– Je ne suis pas totalement rassurée, avoua-t-elle pendant qu'il mettait le moteur en marche.

– À propos de quoi ? De votre mari ou de la police ? ironisa-t-il.

– Vous ne m'aidez pas...

Il passa au feu vert et tourna à droite.

– Il faudra vous en tenir à votre version, reprit-il : vous êtes montée vous coucher à l'heure habituelle, vous n'avez rien entendu et vous ignorez ce qu'il a pu advenir de votre voiture. Tant que vous leur répéterez cela sans varier d'un iota, tout ira bien, avec votre mari comme avec la police.

– Facile à dire. Je mens horriblement mal.

– Vous pouvez encore changer d'avis.

– Non. Les dés sont jetés. Je mentirai, puisqu'il le faut.

Il s'engagea dans la bretelle d'accès à l'autoroute en direction du nord-ouest, sous un éclairage si intense que la lune en devenait presque invisible. Rares étaient les véhicules à cette heure tardive. Les innocents touristes qui envahissaient Charleston en été dormaient déjà, sans se douter que la belle saison était le pire moment pour visiter la Caroline du Sud, en raison de la canicule, de l'humidité et des moustiques.

– Au fait, s'étonna Julie, comment avez-vous deviné le chemin pour aller chez moi ? Vous connaissez mon adresse ?

Dans la pénombre de la voiture, elle ne put déchiffrer le sens de son sourire. Toujours est-il qu'il lui rétorqua d'un ton neutre :

– J'ai pensé que vous habitiez à Summerville, non loin de votre magasin. Je me suis trompé ?

– Pas du tout. C'est bien là que se trouve notre maison, en effet.

Toutefois, elle restait perplexe. Cette déduction lui paraissait soudain trop logique... Mais non, se reprocha la jeune femme, Debbie avait raison, au fond. À force de soupçonner Sid, elle devenait paranoïaque.

– Indiquez-moi simplement la bonne sortie, demanda-t-il.

– La première pour Summerville.

– Comme pour la boutique... qui s'appelle comment, déjà ?

– Carolina Belle.

– Je viendrai vous rendre visite un de ces jours. À condition que vous ayez ma taille, comme promis.

En tant qu'ancienne Miss Caroline du Sud, Julie était la personne idéale pour tenir ce genre de commerce, où l'on proposait, outre des tenues de soirée ou de cocktail, toutes sortes de costumes pour les innombrables concours de beauté et d'élégance qui se disputaient dans la région. Carolina Belle était une affaire florissante qui lui procurait des revenus non négligeables. Et, hélas, un divorce ne réussirait qu'à lui apporter de la mauvaise publicité.

Ils dépassèrent un camion de livraison et se turent quelques instants. Puis Debbie observa, mi-figue, mi-raisin :

– La prochaine fois que vous voudrez prendre votre mari en filature, lors de ses escapades nocturnes, adressez-vous plutôt à un professionnel.

– Comment cela ? Un professionnel de quoi ?

– Un détective privé. Vous faites appel à ses services, que vous rétribuez selon un tarif modique, et il se charge de tout. C'est beaucoup moins dangereux pour vous.

– Pas question ! Rien qu'à l'idée d'ouvrir les pages jaunes à cette rubrique, j'en ai la chair de poule... Et puis surtout, par ici, tout le monde se connaît. Il y aurait des fuites et Sid ne tarderait pas à être au courant.

– Pas si vous employez quelqu'un de fiable.

– Je n'ai confiance en personne, du moins quand il s'agit de Sid. C'est un Carlson, apparenté aux Pugh, aux Pettigrew et aux Hughley : il est cousin avec la moitié de la population.

– Moi, vous pouvez me faire confiance.

– Vous ? répéta-t-elle sans voir où il voulait en venir.

– Je suis McQuarry, de l'agence « McQuarry et Hinkle, détectives privés ».

Il s'était exprimé dans un souffle, presque sur un ton d'excuse. Julie écarquilla ses grands yeux noirs :

– Vous, un détective privé ? Vous êtes sérieux ?

– Comme un pape.

– Jamais je ne m'en serais doutée... Vous espionnez les maris volages ?

– Sans arrêt, répondit-il avec un large sourire qui lui plissa les paupières. Vous seriez surprise par le nombre d'adultères... Parfois, je me dis que c'est la règle du jeu. Ce qui vous arrive n'a rien d'exceptionnel, croyez-moi.

C'était là un constat si déprimant qu'elle se réfugia dans le silence. Elle ne reprit la parole qu'au moment où se profila un grand panneau vert à une centaine de mètres sur la droite.

– La sortie !

La Blazer se dirigea vers le feu rouge, en haut de la rampe d'accès, puis, quelques minutes plus tard, s'engagea dans le quartier de Summerville.

Dans les larges avenues résidentielles, de hauts chênes verts dissimulaient des façades blanches ornées de colonnades à l'antique. Des massifs d'azalées et de bougainvillées débordaient des palissades et croulaient jusque sur les trottoirs. Carolina Belle se situait un peu au nord, dans une zone plus récente. Ils obliquèrent vers le sud, en direction du fleuve Ashley, où se trouvaient les plus belles constructions, dont quelques-unes étaient l'œuvre d'All-American Builders.

L'horloge du tableau de bord indiquait 2 h 50. La jeune femme frissonna : ils avaient à peine dix minutes devant eux.

– Combien de temps vous faudra-t-il pour forcer la porte du garage ? questionna-t-elle en s'exhortant à masquer sa nervosité.

– Deux minutes, pas plus.

– C'est tout ? Vous savez, nous habitons une maison moderne, avec des serrures à toute épreuve... Et puis il y a l'alarme...

– Est-elle branchée ?

Elle réfléchit. Quand elle était partie, dans sa précipitation elle n'avait pas actionné le système. Et, du reste, Sid ne l'avait pas branché lui non plus, quelques instants auparavant, ce qui était inhabituel. Il avait dû oublier. De toute façon, il ne se passait jamais rien à Summerville. La notion de cambriolage y était inexistante.

– Non, dit-elle. Sid ne l'a pas activée en sortant et je n'y ai pas touché.

Sur un geste de Julie, ils freinèrent devant une vaste bâtisse dont le portail de fer forgé était resté ouvert. Au lieu de remonter l'allée vers la maison, Debbie McQuarry se rangea au bord du trottoir.

– Il vaut mieux continuer à pied, précisa-t-il. Sinon, les voisins pourraient s'étonner de voir là une voiture inconnue, en plein milieu de la nuit.

Elle acquiesça sans un mot, encore que cette précaution lui apparût inutile : les trois demeures les plus proches – celles des Macalaster, des DeForest et des Crane – étaient plongées dans l'obscurité. Tous devaient dormir du sommeil du juste.

Trop inquiète pour parler, elle remonta l'allée au côté de Debbie, qui s'était muni de ses gants noirs ainsi que d'un pied-de-biche. Elle s'écarta de lui, le temps d'aller récupérer la clé de secours de la maison, sous une grosse pierre à côté de la rangée de palmiers nains, après quoi ils s'approchèrent du garage, où quatre panneaux blancs tranchaient sur le mur de brique.

– Laquelle est-ce ? demanda-t-il.

– La deuxième à partir de la gauche.

– Un jeu d'enfant, opina-t-il après avoir jeté un bref coup d'œil.

– Vous êtes... merveilleux, dit-elle, et sa voix se brisa. Sans vous, je ne sais pas comment j'aurais pu...

Il lui adressa un sourire complice, à la fois amical et malicieux, qui acheva de la troubler. Dans une poche de son jean, il prit un portefeuille dont il sortit une petite carte de visite.

– Prenez-la, il y a mon numéro de téléphone. Surtout, n'hésitez pas à m'appeler en cas de besoin.

– Bien sûr, bégaya-t-elle. Et je vous fais signe dès demain... enfin, aujourd'hui... pour les dégâts que j'ai causés à votre voiture.

– Impeccable !

Elle aurait voulu passer des heures auprès de lui. En l'espace d'une nuit, il lui avait témoigné plus de gentillesse, lui avait apporté plus de sécurité que son mari depuis des mois. La seule présence de cet homme pour le moins déconcertant avait le don de la rassurer.

Mais elle n'avait plus le loisir de s'attarder. Il fallait agir vite, avant le retour de Sid.

– Il faut que j'y aille.

– Oui, répondit-il.

Dans la nuit, elle ne pouvait capter son regard. Soudain, malgré elle, Julie se pencha, posa une main sur son bras et, levant la tête, lui effleura la joue d'un baiser rapide, furtif.

– Merci encore, dit-elle. Vous aviez raison : j'avais vraiment besoin d'un ami.

Elle lui sourit une dernière fois avant de prendre le chemin de la maison.

Au moment où elle contournait le garage pour atteindre la façade arrière de la bâtisse, elle entendit le grincement du pied-de-biche contre le métal de la porte.

Debbie McQuarry tenait parole. Quant à elle, il ne lui restait plus qu'à remonter se coucher, attendre et se préparer à proférer le plus énorme mensonge de toute son existence.

Mac la regarda s'éloigner avec des sentiments mélangés. Julie Carlson était l'innocence même, bien plus vulnérable qu'elle ne l'imaginait. Et elle n'était au courant de rien, concernant son mari, il en avait la certitude.

S'il avait parlé, s'il lui avait révélé ce qu'il savait, l'aurait-elle seulement cru ? Rien n'était moins sûr. En outre, Mac n'avait que des soupçons et, pour le moment, il ne disposait d'aucune preuve pour les étayer. Alors, à quoi bon ? Il n'aurait réussi qu'à la perturber.

Dans l'immédiat, mieux valait se taire. Elle divorcerait avant qu'il se produise quoi que ce soit et, par conséquent, elle se trouverait loin de Sid Carlson le jour où...

Tout en pesant de toutes ses forces sur le pied-de-biche, Mac dut bien s'avouer que ses réflexions ne visaient qu'un seul but : se justifier à ses propres yeux.

Car il se sentait coupable vis-à-vis d'elle. Affreusement coupable.

6

Roger Basta venait d'atteindre le bas de la large cage d'escalier lorsqu'il perçut, sans risque d'erreur, le bruit caractéristique de la porte de service.

Il se figea, les sens en alerte, et, empoignant son pistolet, il se faufila en silence dans la pièce la plus proche : le placard à balais, au fond du hall.

Tout en gardant entrebâillée la porte du réduit, il se rencogna dans l'ombre, au cas où l'intrus allumerait le lustre de l'entrée. Un pas léger approchait, du côté de la cuisine, presque sans bruit. Julie Carlson, puisqu'il ne pouvait s'agir que d'elle, semblait fort pressée – et tout aussi désireuse de ne pas attirer l'attention. Elle n'avait pas allumé le corridor.

Basta prit une profonde inspiration et ne put réprimer un sourire satisfait. Grâce à des années de pratique, il avait développé des facultés sensorielles dignes d'un animal. Et son flair lui confirmait ce qu'il avait déjà deviné : il sentait un parfum de femme.

Une seconde plus tard, elle passa devant le cagibi où il se terrait, éclairée de biais par le clair de lune qui filtrait par les portes-fenêtres du grand hall. Elle se déplaçait vite.

Il serait encore plus rapide que sa proie. Le tueur à gages savait qu'il ne lui restait que quelques minutes avant le retour de Sid Carlson mais c'était suffisant. La jeune femme se trouvait à sa merci, seule dans cette grande maison déserte. Elle n'aurait même pas le temps d'agripper son téléphone.

Prudent, il attendit qu'elle eût gagné le premier étage, toujours dans l'obscurité. C'était là que Basta comptait la rejoindre, dans l'immense chambre flanquée de deux salles de bains de marbre. Un décor de rêve. Hollywoodien à souhait.

Son seul regret était de ne pouvoir s'éterniser sur place. Il lui faudrait accomplir sa mission en moins de quatre minutes, afin de quitter les lieux avant 3 heures. Basta soupira. Il aurait tellement voulu... Mais tant pis. Le travail avant tout. On est professionnel ou on ne l'est pas.

Il sortit de sa cachette et commença à monter les marches.

Demain, Roger Basta, ayant honoré son contrat, pourrait enfin jouir des fruits de son labeur. Il empocherait le reste de la somme et s'offrirait ce dont il rêvait depuis des mois, avec une candeur d'enfant guettant l'arrivée du Père Noël : un petit bateau de pêche sur lequel il affronterait les vagues de l'océan.

À l'instant où il posa le pied sur le palier, il crut entendre le bruissement du satin lorsque Julie Carlson se glissa dans son lit.

Son pouls s'accéléra.

Soudain, son ouïe exercée lui transmit un message beaucoup moins agréable : une sorte de raclement en provenance du garage.

Il fronça les sourcils. Voilà que Sid Carlson rentrait plus tôt que prévu.

Un moment, il hésita. Julie Carlson était allongée là, sans défense, à deux pas de lui. Plus que quelques mètres à franchir, et...

Mais non. Trop risqué.

Après tout, demain était un autre jour. Basta n'en était pas à cela près.

Sans bruit, il redescendit l'escalier. Julie Carlson ne se rendait pas compte de sa chance.

Avec une générosité insensée, Roger Basta venait de lui octroyer vingt-quatre heures de sursis.

7

Sid se moquait d'elle. On pouvait même dire qu'il se payait sa tête, avec ses mines d'innocent.

Au cours de la nuit, il était rentré sur la pointe des pieds, à 3 h 17 très exactement, et Julie en avait déduit qu'il n'avait pas pris le temps d'effectuer un détour par le garage. Il ne s'était donc pas encore aperçu de la disparition de la Jaguar.

Pour sa part, recroquevillée au fond du lit, elle avait feint le sommeil, les yeux clos, dès qu'elle l'avait entendu arriver. À un moment, il s'était tenu au centre de la chambre, tourné vers elle, et elle l'avait observé en entrouvrant imperceptiblement une paupière : une silhouette élancée – il suivait un régime –, des lunettes cerclées d'acier, un costume sombre ; même au plus fort de la canicule, Sid se refusait à adopter un style décontracté.

Et, dans cette attitude pourtant anodine, elle avait cru percevoir une menace.

C'était absurde. Sid avait certes des défauts, mais il ne représentait aucun danger pour elle.

La jeune femme s'était exhortée au calme en respirant le plus régulièrement possible sous ce regard qu'elle sentait braqué sur elle. Puis, au bout d'une ou deux minutes, il était sorti, afin de se rendre dans la chambre d'amis.

Enfin, aux alentours de 9 heures du matin, ils s'étaient croisés dans la cuisine au moment où il s'apprêtait à partir pour son bureau et où, en principe, elle revenait de son jogging. Toutefois, ce matin-là, elle s'en était abstenue, pour éviter d'avoir à passer devant la porte du garage – et d'être celle qui « constaterait » le prétendu cambriolage.

C'était donc lui qui avait remarqué la porte fracturée et l'absence de la Jaguar. Il était revenu en hâte sur ses pas, en vue de l'interroger, et, suivant les conseils de Debbie McQuarry, elle lui avait répondu que, endormie, elle n'avait rien remarqué d'anormal durant la nuit.

À présent, il l'affrontait tandis qu'elle finissait de boire son thé : écumant de rage, Sid arpentait la cuisine, à bout de nerfs, s'interrompant de temps à autre pour fixer sur elle l'éclat glacial de ses yeux gris.

– Tu es d'un calme ! On dirait que tu t'en fiches complètement ! explosa-t-il soudain, au comble de l'exaspération.

– Sid, écoute, ce n'est qu'une voiture...

– Ce n'est qu'une voiture ? Tu plaisantes, j'espère ! Une Jaguar, une... Tu as oublié combien elle m'a coûté, naturellement ? Eh bien, je vais te rafraîchir la mémoire : elle m'a coûté la bagatelle de cinquante mille dollars, rien que ça ! Mais tu t'en moques, bien sûr, comme tu te moques de cette maison, qui, soit dit en passant, vaut un bon million de dollars, tu te moques de tout ce que j'ai fait pour toi durant toutes ces années, tu n'es bonne qu'à dilapider ma fortune, et le reste, ça t'est bien égal, une Jaguar de plus ou de moins, quelle importance ? On dirait que c'est un dû à tes yeux, que l'argent tombe du ciel, alors que je me tue au travail pour vous nourrir, toi et ta famille de loqueteux !

À cet instant, deux policiers – Sid avait téléphoné au poste le plus proche – traversèrent le jardin en direction de la maison, ce qui était plutôt une bonne chose parce que, suite à cette tirade, et en particulier à la « famille de loqueteux », Julie avait senti s'évaporer ses dernières réserves de patience ; à vrai dire, c'est avec un soulagement indicible qu'elle lui aurait sauté à la gorge.

Au lieu de cela, elle se ressaisit et, adressant un timide sourire aux deux représentants de la loi lorsqu'ils franchirent le seuil de la cuisine, elle leur débita le petit discours qu'elle avait appris par cœur avant de conclure, ingénue :

– ... et donc, je suis désolée, mais, comme je n'ai rien entendu, je n'ai aucune idée de ce qui a pu se passer.

Contre toute attente, elle s'était exprimée de manière convaincante. Mieux, elle apparaissait comme la candeur même, elle s'en rendait compte à l'expression des policiers, dont l'un prenait des notes dans un calepin.

Quelques minutes plus tard, ils accompagnèrent Sid au garage afin de vérifier les traces de l'effraction et d'enregistrer officiellement la plainte pour vol. Julie passa une bonne heure à se préparer et, au terme d'une longue hésitation, choisit dans sa penderie une robe de soie grège, assez triste, en harmonie avec son état d'esprit. Après quoi, plutôt que de rester seule à ruminer ses griefs en constatant une fois de plus la catastrophe de son mariage, elle résolut de se rendre à sa boutique comme chaque matin. Au moins, il lui restait son métier.

Faute de voiture, elle appela un taxi.

Le sourire qu'elle affichait ne devait pas faire illusion car, sitôt qu'elle poussa la porte vitrée de Carolina Belle, Meredith Haney, l'une de ses deux vendeuses, faillit laisser choir la robe qu'elle était en train de replacer sur un cintre :

– Julie ! Qu'est-ce qui vous arrive ?

Meredith, une jolie blonde tout en finesse, ancienne Miss Comté de Marion, se précipita au-devant d'elle, l'air inquiet.

– Cette nuit, on m'a volé ma voiture, expliqua-t-elle dans un souffle.

Sans attendre, elle entra dans son bureau, à l'arrière de la boutique, jetant par-dessus son épaule :

– Tout est prêt pour le rendez-vous de 10 h 30 ?

– Votre Jaguar ? se récria Meredith, trop surprise pour répondre. Mon Dieu ! Est-ce qu'on vous a attaquée ou bien... ?

– Non, des cambrioleurs l'ont prise dans mon garage.

Elle posa son sac à main – plus grand que celui qui avait disparu avec la Jaguar – sur le bureau d'acajou, dont elle ouvrit le tiroir de gauche, dit le « tiroir des urgences ». En principe, cette réserve secrète devait receler une ou deux tablettes de chocolat enfouies dans ses profondeurs, loin derrière un nécessaire à maquillage.

– Mon Dieu ! répéta Meredith en lui emboîtant le pas.

Machinalement, Julie nota que sa robe de jean, moulante et sans manches – l'une des créations de la boutique –, lui allait à la perfection. Il serait judicieux de développer cette ligne de vêtement, à la fois raffinée et décontractée ; les clientes en raffolaient.

– Tout est prêt pour 10 h 30 ? reprit-elle. Et, à propos, où est Amber ?

Amber O'Connell, sa seconde vendeuse, une jolie brune de vingt ans, elle aussi lauréate d'un concours de beauté de Charleston, n'avait jamais été un modèle de ponctualité.

– Elle a téléphoné pour prévenir qu'elle arriverait un peu en retard. Un problème de voiture... Enfin, moins grave que le vôtre, ajouta Meredith, compatissante. À part ça, tout est prêt pour le rendez-vous. C'est Carlene Squabb.

Carlene Squabb. Julie ne put réprimer un soupir. Il ne manquait plus que cela. Avide de réconfort, elle plongea la main dans le tiroir, sentit le contact du papier d'emballage et s'apprêta à extraire quelques carrés de chocolat noir lorsque le carillon de la porte retentit à la volée.

– Ce doit être Carlene, commenta Meredith d'un ton neutre.

N'y tenant plus, Julie enfourna dans sa bouche trois carrés d'un seul coup et les mastiqua avec avidité.

Elle n'avait pas eu le loisir de les avaler qu'une silhouette massive s'encadra dans l'embrasure de la porte de son bureau en lançant à la cantonade :

– Julie Ann Williams, tu oses manger des sucreries ?

Devant l'expression scandalisée de sa mère, Julie se sentit bêtement coupable, l'espace d'un instant. Puis, reprenant courage, elle déglutit.

– Oui, maman, rétorqua-t-elle en la fixant droit dans les yeux.

Même en faisant abstraction de la couleur de ses cheveux – que sa mère se teignait en un roux flamboyant –, Julie ne lui ressemblait guère. Dixie Clay avait des traits moins réguliers – et une corpulence proche de l'obésité. Julie tenait sa beauté brune de son père, reconnaissait Dixie non sans aigreur.

– Tu connais le dicton ? demanda-t-elle en s'affalant dans l'unique fauteuil de la pièce, qui gémit sous cette attaque imprévue.

– Non. Lequel ?

– « Dix secondes dans la bouche, dix ans sur les hanches. »

– Mes hanches vont très bien, merci, riposta Julie en engloutissant trois carrés supplémentaires. Je fais du 38.

– Quand tu as été élue Miss Caroline du Sud, tu faisais du 36.

– Maman, c'était il y a huit ans !

– Tu comptes grossir d'une taille tous les huit ans ? Je te pose la question parce que c'est ce qui m'est arrivé : quelques grammes par-ci, quelques grammes par-là, et hop, on se retrouve en taille 44 avant d'avoir compris pourquoi !

Sa mère, Julie le savait, mesurait en réalité un bon 56. Dixie Clay mentait avec un aplomb imperturbable à propos de tout et de n'importe quoi : sa taille, son poids, son âge, la pointure de ses chaussures, le montant de ses revenus, le nombre de ses maris ou de ses amants.

– Tu voulais me voir pour une raison précise ? s'enquit la jeune femme, qui referma le tiroir avec le plus de discrétion possible.

– Il paraît qu'on t'a volé ta voiture.

Dixie agita ses mains chargées de bagues, aux ongles

laqués dans un orange dont la nuance n'était pas sans évoquer la couleur tapageuse de ses cheveux. En revanche, sa robe, ou plutôt sa tunique de forme chasuble, avait opté pour des tonalités turquoise, différant en cela de ses mules de cuir verni, tendance fuchsia – Julie crut même distinguer quelques paillettes sur le dessus. Dixie n'avait rien d'une Miss Univers mais, où qu'elle se rendît, on ne pouvait pas ne pas se retourner sur elle. Et, bizarrement, ce qui chez une autre eût passé pour le comble du mauvais goût offrait sur elle un charme indéfinissable, certes voyant, mais agréable à regarder. Avec quarante kilos de moins, elle aurait même été séduisante.

Sid, bien sûr, la jugeait d'une « insupportable vulgarité », pour reprendre ses propres termes. Ce verdict, ajouté à la « famille de loqueteux », était devenu une rengaine dans les reproches qu'il adressait régulièrement à Julie. Une fois, il était même allé jusqu'à se moquer de la caravane où vivaient les parents de la jeune femme autrefois, faute d'avoir les moyens de louer un appartement, fût-il modeste.

Pourquoi y repensait-elle en ce moment ? Peut-être parce que, après son attitude de ces derniers mois, la scène d'hystérie qu'il lui avait infligée le matin même était la goutte d'eau qui faisait déborder le vase.

– Oui, ça s'est passé cette nuit, répondit-elle.

Elle hésita, tentée d'avouer la vérité à sa mère ; celle-ci saurait compatir, lui apporter son soutien. D'un autre côté, Dixie s'empresserait de téléphoner à Becky, la sœur aînée de Julie, qui en parlerait à sa meilleure amie, qui en parlerait à... Bref, dans les vingt-quatre heures, la moitié de Charleston saurait à quoi s'en tenir.

– Maman, comment es-tu au courant ? demanda-t-elle, soupçonneuse.

– Kenny a appelé Becky, qui m'a appelée.

Kenny, le mari de Becky, travaillait sous les ordres directs de Sid, lequel avait dû arriver à son bureau et lui raconter toute l'histoire, ou du moins ce qu'il en savait. Le tam-tam familial fonctionnait à merveille.

– On a forcé la porte de ton garage, c'est ça ? reprit Dixie. Et tu n'as rien entendu ?

– Je dormais...

Le carillon résonna de nouveau, signalant une arrivée.

– Bon, il faut que j'y aille, soupira Julie.

Meredith se glissa dans le bureau pour annoncer d'une voix sans timbre :

– Carlene Squabb, Julie.

– Très bien, j'arrive.

Quand Meredith fut allée rejoindre la cliente, Dixie se pencha vers sa fille :

– J'espère que tu n'as pas oublié : on a rendez-vous chez Becky à 14 heures. Tu as pensé au cadeau ?

– Oui, maman. J'ai acheté une poupée Barbie.

Kelly, la fille cadette de sa sœur, fêtait ses cinq ans aujourd'hui. C'était la première fois que Becky organisait un goûter d'anniversaire pour sa benjamine et Julie, avec une certaine imprudence, s'était portée volontaire pour l'aider.

– Excellente idée ! Elle va adorer. Sid sera des nôtres ?

– Je ne crois pas. Tu sais, il est surchargé de travail.

– Comme d'habitude, à ce que je vois, remarqua sèchement Dixie. Bien, je file, conclut-elle en plaquant un baiser sonore sur la joue de sa fille. On se retrouve là-bas à 14 heures... Ah, au fait, j'aime beaucoup ta robe beige, c'est super chic et tout et tout, mais tu devrais ajouter un petit quelque chose, une note de couleur : peut-être une écharpe jaune ?

– Oui, maman.

Depuis des années, elle avait pris le pli d'acquiescer à tout ce que lui disait sa mère, quitte à n'en faire ensuite qu'à sa tête.

Après le départ de Dixie, elle put se concentrer sur le

nouveau problème qui l'attendait et qui avait nom Carlene Squabb. Candidate à un concours de beauté intitulé non sans panache les « Belles du Sud », Carlene était une fille ravissante qui pouvait espérer remporter à peu près toutes les compétitions qu'elle voulait, voire envisager une carrière de top model, à condition toutefois qu'elle acceptât de se plaquer du Scotch sur les lèvres. Dès qu'elle ouvrait la bouche, en effet, les choses tournaient au désastre : entre sa voix de crécelle, ses intonations traînantes et son langage ordurier, personne n'aurait su déterminer ce qui était le plus redoutable.

Meredith lança à Julie un regard de noyée à l'instant où Carlene, tournoyant sur elle-même dans une longue robe de satin blanc, tellement somptueuse qu'on aurait dit Scarlett O'Hara se rendant au bal chez le mythique Ashley Wilkes, s'exclamait :

– J'en ai ras la casquette de ces essayages ! Eh, lâchez-moi les baskets cinq minutes, que j'aille me griller une clope !

Julie la contempla une fraction de seconde dans le miroir à quatre pans. Cette tenue, à laquelle Meredith et elle avaient consacré des dizaines d'heures de travail, était destinée à apparaître lors du fameux concours, le jeudi suivant. Et, en toute franchise, c'était une réussite.

– Voilà, c'est presque fini, assura-t-elle en remontant sa fermeture Éclair. Je ne crois pas qu'il soit nécessaire d'apporter des retouches. Et d'ailleurs...

La jeune femme s'interrompit net. La fermeture s'était arrêtée à mi-hauteur du dos. Pourtant, elle ne s'était pas coincée. Simplement, la robe se révélait beaucoup trop étroite, alors que Carlene l'avait déjà enfilée plusieurs fois. C'était à n'y rien comprendre.

Songeuse, elle examina la silhouette de sa cliente dans le miroir. Non, Carlene n'avait pas grossi de dix kilos en quinze jours, depuis sa dernière visite à la boutique. Soudain, son regard remonta vers les seins de la jeune candidate : naguère moyens, ils étaient maintenant dignes de Jayne Mansfield.

– Vous vous êtes fait faire des implants ? s'écria-t-elle, affolée.

– Ben ouais, vendredi dernier. C'est chouette, non ?

– Le concours se déroule à partir de jeudi, expliqua Julie en s'efforçant de ne pas perdre patience. C'est-à-dire dans cinq jours, précisa-t-elle pour dissiper toute ambiguïté. Et les retouches ne vont pas concerner uniquement cette robe, mais tout le reste : le maillot de bain, l'ensemble noir pour les interviews avec les journalistes... Il va falloir tout reprendre !

– Oh, ça se peut. Pourquoi ? Y a un problème ?

Julie s'exhorta à sourire, imitée par une Meredith à peu près aussi consternée qu'elle.

– Ma foi, il faudra bien en passer par là... Pour commencer, il serait préférable que vous réessayiez tous vos vêtements et...

– Julie, on vous demande au téléphone. C'est M. Carlson.

Amber, avec une heure de retard, venait de pousser la porte vitrée et de bondir vers le téléphone de la boutique, à côté de la caisse. Dans son accablement, Julie n'avait même pas prêté attention à la sonnerie.

– Merci, j'y vais, dit-elle à la jeune vendeuse. Meredith, voulez-vous prendre les nouvelles mesures de Carlene, s'il vous plaît, et placer les épingles sur la robe ? Ensuite, vous vous occuperez du maillot de bain... Amber va vous aider.

– Combien de temps ça va encore durer ? bougonna Carlene, qui se penchait déjà vers son sac pour y attraper un paquet de cigarettes.

– Désolée, Carlene, mais ici on ne fume pas. L'odeur du tabac imprègne le tissu et les juges n'apprécient guère.

– Quels vieux cons !

Sur cette élégante réplique, la candidate se livra aux mains expertes des deux vendeuses tandis que Julie empoignait le combiné.

– Tu as pensé à aller chez le teinturier ? questionna Sid sans préambule.

– Euh... non. D'habitude, je fais un détour en voiture, mais là j'ai pris un taxi.

– Alors débrouille-toi pour y passer avant de rentrer à la maison. N'oublie pas : nous avons la réception au country-club, aujourd'hui. Papa sera là avec Pamela.

En effet, cela lui était sorti de l'esprit. Et la perspective de rencontrer son beau-père, veuf inconsolable qui ne demandait qu'à se consoler en compagnie de sa très jeune amie, n'était pas pour la réjouir outre mesure.

– À propos, j'ai prévenu l'assurance pour ta Jaguar, enchaîna-t-il. Ils vont t'envoyer quelqu'un à la boutique avant midi, avec les papiers à signer. Et tu auras une voiture de remplacement un peu plus tard dans la journée.

– Parfait, approuva-t-elle, laconique.

– Tu es furieuse à cause de ce matin ? demanda-t-il après un silence. J'étais très énervé, je n'aurais pas dû crier comme ça...

Le ton était devenu aimable, presque amical, et Julie en devina sans peine la raison : en arrière-fond sonore, elle entendait la voix de Heidi, l'assistante de Sid, qui discutait avec quelqu'un. Sid se montrait soudain aimable envers sa femme afin que sa secrétaire n'eût pas une mauvaise opinion de lui.

Après tout, se reprocha Julie après avoir raccroché, elle se montrait sans doute trop soupçonneuse à son endroit. Les sorties nocturnes de Sid et même le mystère du Viagra pouvaient peut-être s'expliquer d'une façon anodine.

Oui, mais laquelle ?

Comme le lui avait si bien indiqué Debbie McQuarry, seul un professionnel lui permettrait d'en avoir le cœur net.

Elle courut dans son bureau, ferma la porte et prit la carte de visite dans son sac. Le cœur battant, elle composa un numéro sur son portable.

Deux sonneries retentirent avant qu'une voix de femme lui réponde :

– McQuarry et Hinkle, détectives privés.

– Pourrais-je parler à Debbie, s'il vous plaît ?

8

– Debbie ?

Rawanda répéta le prénom sans comprendre.

Mac était en train de fouiller la pile de papiers entassés sur son bureau, à le recherche de factures, lorsque Rawanda avait décroché. Il leva les yeux, alerté par le prénom.

Petite, pulpeuse, Rawanda était une jeune Afro-Américaine aux grands yeux langoureux et aux longs cheveux en cascade ; elle assurait le secrétariat de l'agence depuis près d'un an. Au début, McQuarry et Hinkle avaient bénéficié d'une aide de l'État, dans le cadre d'un programme de réinsertion sociale destiné aux anciens détenus ; Rawanda venait de passer six mois en prison pour une affaire de vol de chéquiers. Depuis sa libération, elle n'avait plus commis aucun délit, ce qui arrangeait au mieux les deux associés, car ils s'étaient décidés à l'embaucher à titre définitif. Dorénavant, c'était l'agence qui lui versait l'intégralité de son salaire. Cependant, les deux détectives obéissaient à des motivations quelque peu différentes : si Mac s'intéressait avant tout aux compétences professionnelles de Rawanda, Hinkle, pour sa part, avait de plus en plus tendance à les oublier au profit de ses formes voluptueuses.

– Il n'y a pas de Debbie à ce numéro, madame, réponditelle de sa voix de velours. Vous avez dû faire une erreur.

Mac lui lança des signaux désespérés, le temps d'émerger de ses paperasses, tandis qu'elle continuait :

– Debbie McQuarry ? Vous êtes sûre ?

Enfin, il la rejoignit d'un bond et lui prit des mains le combiné :

– McQuarry à l'appareil.

– Debbie ?

Le ton de Julie Carlson semblait hésitant.

– Dans la journée, à mon travail, on m'appelle Mac.

– Oh, pardon... J'espère que je n'ai pas commis une gaffe.

Hinkle s'était installé sur le divan, à l'autre bout de la pièce, et contemplait les photos qu'il avait prises durant la nuit. Rawanda venait de se rasseoir devant son ordinateur. Et tous deux, dans un même mouvement, levèrent les yeux pour scruter Mac avec la subtilité de deux rottweilers lorgnant un chaton.

– Non, c'est sans importance, répondit-il en les fusillant du regard. Que puis-je pour vous ?

– Eh bien, je vous téléphone au sujet de votre voiture... Et aussi parce que... En fait, je voudrais que vous suiviez mon mari.

– Très bien.

Mac avait eu du mal à dissimuler sa surprise. Il s'était douté qu'elle tiendrait parole pour la Blazer, mais de là à l'engager comme détective...

– Je ne sais pas trop comment procéder, avoua-t-elle. Faut-il que je prenne contact avec quelqu'un de votre agence ? D'un autre côté, je souhaiterais que tout cela reste strictement entre nous.

– Je vais m'en charger moi-même, ne vous inquiétez pas. Personne n'a besoin d'être au courant. En revanche, il me faudrait quelques renseignements complémentaires. Pourrions-nous nous rencontrer ? D'où m'appelez-vous ?

L'idée de revoir la jeune femme, fût-ce pour des raisons professionnelles, le séduisait bien plus qu'il n'osait l'admettre.

– De ma boutique. Je ne peux pas aller vous voir : je n'ai plus de voiture, comme vous le savez. Et il vaut mieux que vous ne veniez pas ici. Mon mari risquerait de l'apprendre. Alors je me demande...

– Je comprends, coupa-t-il. Il y a un supermarché à proximité de votre boutique, je crois... Voulez-vous que nous nous donnions rendez-vous dans le parking ? Vous n'aurez aucun mal à reconnaître ma Blazer... Dans une vingtaine de minutes, si cela vous convient ?

– Nous sommes samedi et Carolina Belle ferme à midi. Je pourrais vous retrouver un quart d'heure plus tard.

– Disons donc à 12 h 15 dans le parking du supermarché ?

– Entendu... Il faut que je vous laisse, une vendeuse m'appelle.

Quand il raccrocha, deux paires d'yeux inquisiteurs étaient braquées sur lui.

– Debbie ? s'étonna Rawanda en papillotant de ses longs cils.

– Qui était-ce ? demanda Hinkle à la même seconde.

Mac revint à ses papiers sans répondre. Quelque part dans la pile devaient se trouver un reçu de cent vingt-trois dollars pour l'achat de deux pneus, datant d'une filature du début du mois, et un autre, de quatre-vingt-neuf dollars, pour une chambre de motel lors d'une enquête sur un adultère. Sans justificatifs de notes de frais, pas de remboursement : Mac avait institué lui-même cette règle et il s'y tenait.

– Une nouvelle cliente, marmonna-t-il enfin. Elle exige la confidentialité. Alors, soyez gentils, ne me posez pas de questions.

Toutefois, Rawanda refusait de s'avouer vaincue. Tournant le dos à son ordinateur, elle s'adressa à Hinkle :

– Au téléphone, cette cliente a réclamé Debbie McQuarry. J'ignorais que mon cher patron se faisait appeler Debbie.

Mac lui lança un regard torve pendant que Hinkle, avec un large sourire, expliquait à la jeune fille :

– Ce n'est rien. Cette nuit, au Pink Pussycat, Mac a fait des ravages sous le nom de Debbie... pour les besoins de l'affaire Edwards, ajouta-t-il en voyant la mine ahurie de Rawanda.

– Et dire que je n'étais pas dans la confidence ! gloussa-t-elle.

– Tu es trop mignonne pour être au courant de certaines réalités, lui répliqua Hinkle.

Il glissa ses photos dans une enveloppe de papier kraft et traversa la pièce pour les apporter à Mac. C'était un vaste bureau au sol recouvert de linoléum, situé au deuxième étage d'un immeuble des années 1940, non loin de la maisonnette de Mac. Avec ses trois vieilles tables de bois, ses fauteuils usagés, son divan hors d'âge, et sa seule et unique ligne de téléphone sur le bureau de Rawanda, l'endroit était loin de respirer le luxe mais on s'y sentait bien – sauf peut-être au plus fort de l'été, lorsque l'antique ventilateur du plafond s'avérait impuissant à combattre la canicule, comme c'était le cas à présent.

– Tu les remets aujourd'hui à Mme Edwards ? s'enquit Hinkle en désignant l'enveloppe.

– Non, seulement lundi. Elle est à la campagne pour le week-end.

Il ouvrit un tiroir et y rangea les clichés au milieu d'un désordre hétéroclite. Juste en dessous du bureau, Josephine, allongée sur le dos, attendait qu'il la caresse et il lui obéit d'une main machinale.

– Mme Edwards sera contente, dit Hinkle. On a désormais toutes les preuves qu'il faut contre son mari.

Béat, il sourit à Rawanda, qui battit des cils et suggéra, innocente :

– Pourquoi ne pas garder ces photos pour les vendre à M. Edwards ? Si j'étais à sa place, je paierais une fortune pour les récupérer.

– Cela s'appelle du chantage, mon ange, roucoula Hinkle. Et c'est puni par la loi.

Les longs cils courbes se baissèrent pudiquement.

– Oh ! murmura-t-elle. Je ne savais pas.

Hinkle la contempla longuement, d'un air si attendri que Mac se retint pour ne pas lever les yeux au ciel. Pauvre Hinkle... Ce célibataire vulnérable laissait la jolie Rawanda le mener par le bout du nez. Et le pire, c'était qu'il en redemandait.

– Il faut que je sorte, annonça-t-il aux deux tourtereaux. Hinkle, tu n'oublies pas que tu dois rester en faction ce soir, à la Batterie, pour le dossier Hanes.

– Merci, Mac. Le contraire m'aurait étonné. C'est toujours moi qui me tape les corvées.

– La nuit dernière, c'est quand même moi qui ai fait le gros du travail... Rawanda, j'aurai sans doute besoin de toi cet après-midi : tu pourras t'occuper de Josephine ?

À ces mots, la timide jeune fille se métamorphosa d'une façon spectaculaire.

– Ah non, alors ! s'insurgea-t-elle, les poings sur les hanches. Moi, garder ce petit monstre ? Pas question ! La dernière fois que tu me l'as laissée, elle a dévoré la moitié de mon sac à main. On aurait dit un pitbull. D'ailleurs, nous sommes samedi, et à midi je suis officiellement en week-end. Tu n'avais qu'à mieux négocier cette histoire avec ta grand-mère. C'est ton problème, pas le mien.

– Je dois passer voir ma cliente maintenant, plaida-t-il, et je serai sans doute sur une filature ce soir.

– Arrête, tu vas me faire pleurer.

Radieux, Hinkle ne perdait pas un mot de leur échange. Rawanda avait de la repartie, et il adorait cela.

– D'accord, grommela Mac à contrecœur. Je l'emmène avec moi. Par ici, Josephine.

Il tira sur la laisse, sous le fauteuil. Sans résultat. Tira encore. Toujours rien. Soudain, un bruit inquiétant résonna à leurs oreilles. Une sorte de grattement discret et néanmoins persistant.

Tel un castor, le caniche s'employait à ronger les pieds du bureau de Mac.

– Josephine ! hurla-t-il.

– Mon bon Mac, triompha Rawanda, si elle continue comme ça, bientôt tu n'auras plus de table de travail.
– Aucune importance, il fallait de toute façon que j'en achète une neuve, rétorqua-t-il, magnanime.

Tout en dévalant l'escalier, le vénérable ascenseur de l'immeuble étant en réparation, il songea que, à la réflexion, Rawanda n'avait sans doute pas tout à fait tort concernant sa grand-mère. Il n'aurait pas dû lui proposer d'héberger son chien lorsqu'elle était partie s'installer dans une maison de retraite où l'on n'acceptait pas les animaux.

9

Debbie – non, dans la journée il s'appelait Mac – ne semblait pas très heureux de la voir, pensa la jeune femme en prenant place à côté de lui dans la Blazer. Ou bien était-ce elle qui se sentait en proie au remords ? Elle n'aurait jamais dû venir. C'était idiot de louer les services d'un détective privé.

– Bonjour, dit-elle. Salut, Josephine, ajouta-t-elle à l'intention de la petite chienne, mollement allongée sur la banquette arrière.

Elle se retourna pour lui gratter la tête entre les oreilles.

– Pas trop de familiarités, conseilla Mac, sinon elle va essayer de venir sur vos genoux. Et là, elle vous léchera le visage.

Il ouvrit la boîte à gants et en sortit un paquet de biscuits secs.

– Voilà qui va l'aider à se tenir tranquille pendant un moment, assura-t-il en tendant un gâteau au caniche, qui s'en empara avec avidité.

– Où allons-nous ? questionna Julie cependant qu'il démarrait.

– Nous attirerons moins l'attention si nous roulons un peu plus loin. Vous avez bouclé votre ceinture ?

Il franchit le carrefour, au bout de la rue, et bifurqua vers la gauche en direction du quartier des affaires. La circulation était dense pour un samedi à l'heure du déjeuner. Apercevant une vieille dame qu'elle connaissait, sur le trottoir de droite, Julie se renfonça dans son siège, la tête baissée.

– Inutile de vous cacher, observa-t-il. De l'extérieur, on ne peut pas nous voir. Les vitres sont teintées. Au fait, comment va votre coude ?

– Très bien, merci. Personne n'a fait attention au pansement.

– Comment s'est passé votre retour à la maison ?

– Sid est rentré à l'heure habituelle et il n'a constaté les dégâts que ce matin, vers 9 heures.

– En fait, je l'ai entr'aperçu cette nuit, quand il est revenu. J'avais fini de fracturer la porte du garage mais j'ai préféré rester dans les parages, au cas où...

– Au cas où quoi ? demanda-t-elle, surprise.

– Eh bien, au cas où vous auriez besoin de moi. Si jamais il avait remarqué la disparition de la Jaguar... Si jamais il s'en était pris à vous...

Touchée, elle lui adressa son premier vrai sourire de la journée :

– C'est très gentil. Je vous remercie beaucoup. Mais... vous savez, Sid n'est pas quelqu'un de violent. Il ne m'a jamais frappée. Je ne l'aurais pas supporté.

– Tant mieux. Excusez-moi : déformation professionnelle. Dans mon métier, j'ai tellement l'habitude de ce genre de situations tragiques...

Il lui rendit son sourire et, durant une demi-minute, elle se tut afin de mieux le contempler : vêtu d'un T-shirt blanc et d'un bermuda vert qui mettaient en valeur aussi bien son bronzage que sa musculature d'athlète, il lui parut encore plus beau à la lumière du jour. Au fond, se dit-elle, c'était une chance qu'il n'eût aucune attirance envers les femmes. Sinon, à cet instant précis, elle aurait craqué pour lui.

Ce qui n'aurait pas manqué d'entraîner une série de catastrophes.

– Il s'est mis en colère, admit-elle. Mais ce n'étaient que

des mots. Et puis j'ai l'habitude. Ensuite, il a averti la police. Deux agents sont venus tout de suite.

– Vous avez pu leur raconter ce que nous avions prévu ?

– Mais oui. Je leur ai menti. Sans état d'âme, je dois dire.

Il eut un long rire grave. Elle poursuivit :

– Sid a également prévenu mon assureur, qui me prêtera une voiture de remplacement en fin de journée.

La Blazer s'était maintenant engagée dans une avenue bordée de vastes demeures aux colonnades d'un blanc immaculé. Soudain, Mac changea de ton.

– J'adore vos chaussures, fit-il d'une voix haut perchée, désignant du menton les escarpins de la jeune femme. Ce sont des Ferragamo ?

– Non, des Jimmy Choo, répondit-elle, décontenancée.

Dès qu'il reprenait ses intonations de drag-queen, elle ignorait comment réagir. Le charme se rompait.

– Dommage ! Ça m'étonnerait qu'ils vendent les mêmes en 46. Tout le monde n'a pas la chance de chausser du 37, madame Carlson.

– Julie, s'il vous plaît.

– Julie. Et moi, c'est Mac. Oublions Debbie, si vous le voulez bien.

Il freina au feu rouge.

– Si je vous ai posé un problème à votre bureau, tout à l'heure, j'en suis navrée.

– C'est une chance que je possède soixante pour cent de l'agence. Sinon, on m'aurait viré séance tenante.

Impossible de savoir s'il plaisantait ou non. De plus en plus désorientée, elle changea de sujet :

– Il va falloir tout m'expliquer, pour votre travail. J'imagine que vous aimez mieux être rétribué en espèces ?

– Pas forcément. Mais, dans votre cas, oui. Un chèque ou une carte de crédit, cela laisserait des traces, et votre mari pourrait s'en apercevoir. Je pratique un tarif horaire. En général, pour ce type d'affaire, le montant s'élève à deux ou trois mille dollars tout compris. Il me faut votre accord pour commencer.

– Entendu. Vous l'avez.

Une voiture de sport les dépassa à l'angle de l'avenue. Tout en conduisant lentement, Mac entama l'interrogatoire de routine :

– J'ai besoin d'en savoir plus. Aussi, ne m'en veuillez pas si je me montre indiscret. Tout d'abord, quand avez-vous rencontré votre mari pour la première fois ?

– Le soir de mon élection, lorsqu'on m'a nommée Miss Caroline du Sud. Le gouverneur avait organisé chez lui une grande réception et Sid était là. Je bavardais avec le gouverneur, je me sentais comme sur un nuage, et brusquement je l'ai vu, lui. Le coup de foudre. Nous nous sommes fiancés pendant mon « règne » et nous nous sommes mariés aussitôt après.

– Vous aviez donc vingt ans à cette époque. Et votre famille ? Comment ont réagi vos parents lorsqu'ils vous ont vue amoureuse d'un homme tellement plus âgé que vous ?

– Onze ans d'écart, ce n'est pas si énorme, protesta Julie. Et ma famille n'a soulevé aucune objection. Nous n'étions que toutes les trois : ma mère, ma sœur Becky et moi. Nous étions si pauvres que, pour nous, aller nous offrir une part de frites chez McDonald's, c'était un festin hors de prix. Sid était riche. Et beau. Et charmant. Et je l'aimais. Ma mère était enchantée.

– Qu'est-il arrivé à votre père ?

– Mes parents ont divorcé quand j'étais enfant. Après, je l'ai revu de-ci de-là, deux ou trois fois par an. Et un jour il est parti. Je ne l'ai revu qu'une fois, par la suite. Puis, un soir, on est venu nous annoncer qu'il était mort. Il s'était noyé en partant à la pêche.

Elle ne put retenir un sanglot mais, par chance, ses yeux restèrent secs. Il ne servait à rien de se laisser aller.

– C'est une histoire très triste, remarqua-t-il d'un ton bourru.

Elle allait poursuivre quand Josephine lui coupa la parole sous la forme d'un jappement bref et nonobstant énergique. Agitant son moignon de queue, la petite chienne aboya de nouveau.

– Elle a envie d'aller aux toilettes, traduisit Mac avec un enthousiasme modéré.

Ils jetèrent un coup d'œil alentour ; ils approchaient du Sanctuaire des oiseaux et du Jardin des azalées, qui n'attiraient guère que des touristes, les habitants de Charleston étant blasés quant aux merveilles exotiques de la région. Des marchands ambulants proposaient toutes sortes de friandises, de glaces, de bibelots, de cartes postales, de ballons à l'entrée du parc.

Mac trouva une place où se garer près des grilles et attrapa une laisse de cuir noir sur la banquette arrière, qu'il passa au cou d'une Josephine de plus en plus impatiente. Julie entrebâilla sa portière, à moitié rassurée : et si jamais elle croisait des amis, des voisins ? Mais non, réfléchit-elle : à midi et demi, un samedi, dans cet endroit peu fréquenté par les autochtones, la probabilité était quasiment égale à zéro.

– Vous nous accompagnez cinq minutes pour faire un tour ou vous préférez attendre dans la voiture ? demanda-t-il.

– Je vous suis.

À l'écart des arbres, sous un soleil qui tombait à la verticale, la chaleur était étouffante. Josephine se précipita dès qu'elle aperçut une pelouse, après quoi Mac suggéra une courte promenade dans le parc, afin de se rafraîchir.

Ils longeaient les étals des marchands lorsque Mac s'arrêta devant un vendeur de glaces :

– Que diriez-vous d'un cornet à l'italienne ?

– Pas pour moi, merci.

– Vous êtes sûre ?

Elle acquiesça. Il s'acheta une glace au chocolat, puis ils pénétrèrent dans le parc par l'allée centrale.

– Vous n'aimez pas les glaces ? s'étonna-t-il.

– Si. Mais je n'en mange pas.

– Pourquoi ?

– Dix secondes dans la bouche, dix ans sur les hanches, rétorqua-t-elle avant de se rendre compte qu'elle offrait une parfaite imitation de sa mère.

Il marqua le pas pour l'envelopper d'un long regard.

– Vous ne me semblez pas menacée par l'obésité, commenta-t-il.

– Je ne suis pas anorexique, se défendit-elle. J'essaie de faire attention, c'est tout.

Julie avait du mal à ne pas lorgner du côté de la glace qu'il tenait à la main. D'autant qu'elle était au chocolat. Et que la jeune femme n'avait pas déjeuné. Ni même petit-déjeuné. Ce matin-là, trop tendue pour avaler quoi que ce fût, elle s'était bornée à siroter deux tasses de thé.

Sans doute finit-il par percevoir son regard concupiscent car il lui tendit d'office son cornet, en tournant vers elle le côté inentamé.

– Allons, mordez dedans, cela ne vous fera pas de mal.

Elle obtempéra sans plus de manières. C'était délicieux. Vraiment délicieux. Néanmoins, quand il lui proposa la glace une nouvelle fois, elle refusa d'un signe de tête. Sans insister davantage, il termina son cornet aux deux-tiers, laissant la fin à Josephine, qui l'engloutit avec une telle voracité que son museau blanc se retrouva tout barbouillé de chocolat. Julie ne put contenir son hilarité.

– Ne riez pas, dit Mac. Vous n'êtes pas plus présentable.

– J'ai du chocolat sur la bouche ? questionna-t-elle en se passant un doigt sur les lèvres. Non, je ne crois pas...

– Mais si. Juste là.

Du bout de l'index, il lui toucha le menton, puis, d'un geste lent, il lui effleura la bouche d'une commissure à l'autre avec une telle douceur que Julie, horrifiée, s'aperçut qu'elle entrouvrait les lèvres, comme si elle allait les presser sur son doigt...

Elle recula d'un pas, toussota.

– Souhaitiez-vous d'autres informations ? demanda-t-elle, encore chancelante. Parce qu'il vaudrait mieux que je rentre, maintenant.

À sa propre stupeur, sa voix paraissait normale.

– Les numéros auxquels je peux vous joindre, dont celui de votre portable. L'emploi du temps de votre mari, ses horaires habituels. La marque de sa voiture, ainsi que son numéro d'immatriculation. Le reste, cela peut attendre.

Leurs regards se croisèrent. Les beaux yeux bleus n'exprimaient rien de particulier, et Julie n'aurait su dire si elle se sentait déçue ou soulagée.

– Et un dollar, ajouta-t-il.

– Un dollar ? Mais je n'ai pas d'argent sur moi.

Avec un soupir, Mac prit son portefeuille dans sa poche, en sortit un billet d'un dollar et le lui tendit :

– Maintenant, rendez-le-moi.

– Pourquoi ? interrogea-t-elle tout en s'exécutant.

– C'est la coutume. Mes félicitations, madame : vous venez d'engager un détective privé.

Elle éclata de rire.

– Quand comptez-vous commencer ?

– Tout de suite. Il me reste à achever quelques préparatifs, et puis ce soir, à minuit, je serai devant chez vous, à guetter M. Sid Carlson.

– Merci, Mac.

– Julie, je...

Il laissa sa phrase en suspens.

10

– Tante Julie ! Tante Julie !

Erin et Kelly déboulèrent du vestibule pour se jeter dans les bras de la jeune femme, qui eut à peine le temps de franchir le seuil. Sans prétendre égaler la somptueuse demeure de Julie, la maison tout en brique, à deux étages, irradiait un charme provincial. Kenny et Becky avaient emménagé peu avant la naissance d'Erin ; ils s'y plaisaient beaucoup, à tel point qu'ils envisageaient d'y passer le reste de leur existence.

Sauf si leurs beaux projets s'écroulaient comme un château de cartes. Après le divorce de Julie, Kenny perdrait sans doute son poste de vice-président d'All-American Builders et, avec lui, les généreux émoluments dont Sid le gratifiait. Alors, que deviendraient-ils, lui, Becky et leurs deux fillettes ?

Tout en embrassant ses nièces, elle déposa ses paquets sur le sol d'ardoise.

– Génial ! Tu es à l'heure ! s'écria Becky en faisant irruption dans le couloir. Maman a besoin de quelqu'un pour finir d'emballer les cadeaux.

Julie lui sourit par-dessus la tête des deux enfants. De trois ans son aînée, Becky ressemblait à leur mère en plus jeune, avec trente kilos de moins et des cheveux d'un beau châtain profond – rien de commun avec la teinture rousse de Dixie. Vêtue d'une ample chemise blanche et d'un short kaki, elle avait tout de la citadine sportive.

La voix puissante de Dixie retentit à l'autre bout du corridor :

– C'est toi, Julie ? Dépêche-toi, j'ai besoin d'un coup de main !

– J'arrive, maman !

Pendant que Kelly, l'héroïne du jour, déballait son cadeau, la jeune femme tendit un paquet à l'aînée de ses nièces.

– C'est pour moi ? fit Erin. Mais ce n'est pas mon anniversaire, objecta-t-elle, toujours raisonnable.

– Je sais, mais c'est comme ça.

– Une poupée Barbie ! hurla Kelly, la plus exubérante des deux petites filles. Regarde, maman, Julie m'a apporté une Barbie !

– Et à moi aussi ! s'exclama Erin au même instant.

– Qu'est-ce qu'on dit ? demanda Becky en entraînant sa sœur et ses filles à la cuisine.

– Merci, tante Julie ! répondirent en chœur les deux enfants.

Dans la vaste pièce aux murs rouges, Dixie s'affairait à sortir un gâteau du four. Des papiers d'emballage jonchaient la table, destinés aux cadeaux des petits invités, lesquels n'arriveraient qu'environ un quart d'heure plus tard. Tant mieux, songea Julie, parce que, comme d'habitude, Dixie et Becky étaient en retard dans leurs préparatifs. Pourtant, l'ambiance moitié bohème, moitié survoltée qui les caractérisait avait quelque chose de chaleureux, d'apaisant, qui manquait souvent dans la vie de Julie. Sans compter les enfants. En huit ans de mariage, Sid n'avait toujours pas trouvé le moyen de lui faire un bébé. Elle en souffrait, particulièrement chaque fois qu'elle voyait ses nièces. Becky avait de la chance. Pas elle.

Dixie s'essuya les mains sur son large tablier.

– C'est fou ce qu'Erin et Kelly vous ressemblent à toutes les deux, quand vous aviez le même âge, observa-t-elle. Elles sont si mignonnes, comme vous... Tout serait parfait, Becky, si tu ne t'obstinais pas à vouloir inscrire Kelly dans ce concours de beauté pour enfants... Elle a à peine cinq ans !

– Maman, on en a déjà parlé cent fois, rétorqua Becky avec une pointe de lassitude.

Prudente, Julie s'abstint d'intervenir dans ce qui était l'un des rares sujets de dissension entre sa mère et sa sœur aînée.

– Quelquefois, insista Dixie, je me demande si tu ne veux pas l'obliger à suivre le même parcours que Julie. Comme si tu avais honte de nous. De ton enfance. De notre misère, autrefois.

– Mais non, maman, ça n'a rien à voir !

Pour la forme, Julie fit écho aux protestations de sa sœur, mais en son for intérieur, elle devinait que Dixie avait raison. Au demeurant, il ne s'agissait sans doute pas d'un sentiment de honte à proprement parler, mais plutôt d'un vide qui ne serait jamais comblé, d'une angoisse qui menaçait de resurgir en toutes circonstances. Elle était bien placée pour savoir ce qu'éprouvait Becky. Et, pas plus tard que ce matin, les insultes de Sid avaient rouvert la vieille blessure.

Il ne fallait pas que Dixie s'en rende compte. Elle ne méritait pas un tel affront. Et surtout elle avait fait de son mieux, en élevant seule ses deux filles avec beaucoup d'amour. Après des années de chômage, elle avait réussi à décrocher un petit travail dans une entreprise de location de matériel de bureau et, à partir de là, la chance avait semblé lui sourire. Dixie avait rencontré un homme, puis d'autres, puis encore un autre, Hiram Clay, qui l'avait épousée. La même année, Becky avait fait la connaissance de Kenny, et Julie celle de Sid.

Quatre ans plus tard, un accident de voiture avait laissé

Hiram Clay paralysé des deux jambes et Dixie avait compris une fois de plus que le bonheur n'est jamais acquis.

Soudain, une main anonyme mais probablement enfantine secoua à toute volée la cloche de l'entrée.

– Les invités ! Déjà ! s'alarma Becky.

– Mon Dieu ! Rien n'est prêt ! s'affola Dixie.

Julie ne faillit pas à sa promesse : sur le chemin du retour, elle effectua un crochet pour passer chercher les vêtements de son mari chez le teinturier.

Lorsqu'elle sortit de la salle de bains, où elle avait pris une douche rapide, Sid la guettait dans la chambre principale, vêtu de son élégant costume bleu foncé – celui-là même qu'elle venait de récupérer au pressing. Derrière ses lunettes à monture d'acier, ses yeux gris jetaient des éclats froids.

– Tu ne vas quand même pas t'habiller comme ça ? s'offusqua-t-il.

La robe de cocktail, en soie rose vif, avait pourtant semblé tout à fait appropriée à la jeune femme.

– Pourquoi ? Elle est très bien, cette robe.

– Elle te donne un air baba-cool, trancha-t-il. De surcroît, elle fait ressortir tes kilos en trop.

On ne pouvait être plus affable, songea-t-elle, la rage au cœur.

– De toute manière, soupira-t-il, nous sommes en retard. Tu n'as pas le temps de te changer. Tant pis, viens comme tu es.

Au country-club, il se montra à peine plus cordial envers elle, réservant ses amabilités à son père, John Sidney Carlson III, dit John, qui fendit la foule pour les rejoindre dès leur arrivée. Plus trapu que son fils, presque chauve, John était flanqué de sa favorite du jour, Pamela Tipton, une jolie brune de vingt-cinq ans ; John, pour sa part, en affichait soixante et onze.

– Comment se porte ma belle-fille préférée ? s'exclama-t-il, jovial, en embrassant Julie.

Plaisanterie inusable, dans la mesure où il n'avait qu'une seule et unique belle-fille. Julie passa toute la réception à bavarder avec lui et Pamela, puis avec l'épouse du gouverneur ainsi qu'avec différents groupes d'amis, à l'écart de Sid. Manifestement, son mari se souciait d'elle comme d'une guigne.

Au retour, lorsque la Mercedes de Sid s'approcha de la maison, Julie scruta les alentours dans l'espoir d'apercevoir la Blazer de Mac en stationnement dans la rue. En vain.

Une fois à l'intérieur, Sid se dirigea d'emblée vers la chambre d'amis. Quant à Julie, résignée, elle alla se déshabiller dans la chambre principale, résolue à ne déployer aucun effort de séduction pour cette nuit. Dans sa penderie, elle découvrit ce qu'elle cherchait : une ample chemise de nuit en coton gratté, à petits pois, dont, pour des motifs qui lui échappaient, elle ne s'était jamais débarrassée au fil des années. Sa seule excuse pour avoir acheté cette horreur tenait au fait qu'elle l'avait obtenue pour un prix défiant toute concurrence lors des soldes. Eh bien, puisque la robe de cocktail n'avait pas eu l'heur de plaire à M. Carlson junior, ce soir elle revêtirait cette vieille guenipe.

Néanmoins, pendant que Sid prenait un bain, Julie en profita pour aller procéder à une vérification dans le placard à pharmacie de son mari. Au terme d'un rapide inventaire, elle dénombra six comprimés bleus – elle recompta : six – en forme de losange.

Donc Sid ne sortirait pas cette nuit.

Et il ne viendrait pas non plus dans la grande chambre. Mais cela, elle s'en doutait déjà.

Le sommeil fut long à l'arracher à ses pensées. À vrai dire, elle somnola plutôt qu'elle ne s'endormit, perdant peu à peu la notion des heures qui s'écoulaient.

Ce qui la tira de sa rêverie, ce fut le bruit de la porte de service, suivi par le déclic ô combien reconnaissable de la porte du garage.

En fin de compte, Viagra ou pas, Sid avait résolu de découcher. Cette fois, elle ne saisissait plus.

Il fallait qu'elle sache. D'un bond, elle sortit de son lit, enfila à la hâte une robe-chemise en piqué de coton rouge et une paire de sandales, avant de dévaler l'escalier. Si Mac se trouvait dans les parages, elle l'accompagnerait dans sa filature.

Au loin, elle distingua la Mercedes noire qui franchissait le portail et tournait à gauche en direction de l'autoroute, comme la nuit précédente. Julie emprunta au pas de charge le raccourci par la pelouse et jaillit sur la chaussée, hors d'haleine.

Pas de Blazer à l'horizon.

11

Mac se crut victime d'une hallucination lorsque Julie surgit tout à coup dans le halo de ses phares, telle une biche affolée. À peine eut-il le temps de freiner à la dernière seconde qu'elle ouvrit la portière côté passager et s'engouffra dans la Blazer.

– Vite ! intima-t-elle. Sinon, on va le perdre.

De fait, la Mercedes disparaissait déjà à l'angle de la rue.

– Bon sang, je...

Comme elle ne lui offrait guère le choix, il redémarra en trombe.

– Cela ne faisait pas partie du contrat, maugréa-t-il pendant qu'elle attachait sa ceinture de sécurité.

– Au diable le contrat ! Il s'agit de mon mari. Je vous paye pour le suivre et cela implique que je peux vous accompagner si ça me chante.

– Ah oui ? Quel manuel de surveillance avez-vous lu ces jours-ci ?

– Sid ne m'a pas vue, la nuit dernière, et pourtant j'étais dans ma voiture.

– Vous avez eu de la chance, c'est tout.

À chaque instant, il sentait le parfum de la jeune femme : une senteur douce, un peu florale. Ses longs cheveux dénoués retombaient en cascade sur ses épaules, noirs comme la nuit. Il avala sa salive.

– Je ne vous gênerai pas, c'est promis, déclara-t-elle.

Il passa au feu vert. Devant lui, la Mercedes accélérait vers la bretelle d'accès à l'autoroute.

– Pour la première et dernière fois, Julie, je tiens à préciser une chose : c'est moi qui me charge de la filature. Vous, vous restez bien sagement chez vous. Je vous fournis un compte rendu détaillé, et des photos le cas échéant. Compris ?

– C'est moi qui vous paye, j'agis comme je veux.

– C'est moi que vous payez, on ne fait pas n'importe quoi avec moi.

– Je serai aussi discrète qu'une petite souris, vous verrez, dit-elle sur un ton beaucoup moins agressif.

Dans la pénombre de l'habitacle, ils sourirent l'un et l'autre, sans se regarder. Julie se retourna vers la banquette arrière :

– Où est Josephine ?

– La seule créature qui puisse me déranger dans mon travail, en dehors de vous, se nomme Josephine. Je l'ai laissée à la maison.

Dans la salle de bains, en fait. Mac avait pris la précaution de relever son rideau de douche flambant neuf hors d'atteinte des canines ravageuses.

La Mercedes déboîta vers la droite, en se frayant péniblement un chemin vers la sortie. La circulation était dense, ce qui n'avait rien d'étonnant pour un samedi soir du mois de juillet.

Mac jeta un coup d'œil furtif sur sa passagère.

– Je rêve ! Vous vous êtes habillée en rouge ? Vous n'avez pas pu trouver plus voyant, comme couleur ?

– Je ne l'ai pas fait exprès, se défendit-elle comme une petite fille prise en faute. J'ai attrapé la première robe qui m'est tombée sous la main.

– Je devrais remercier ma bonne étoile : au moins, cette nuit, vous n'êtes pas en sous-vêtements... Pardon : en pyjama.

Elle hocha la tête, moitié vexée, moitié amusée. Ils arrivaient maintenant en vue du centre-ville. La Mercedes déboucha dans le boulevard.

– Il va dans le même quartier qu'hier, observa Julie.

– S'il doit rencontrer une femme, ils se donnent sans doute rendez-vous au même endroit.

Juste après le carrefour suivant, Mac dépassa le parking où il avait aperçu Julie pour la première fois. Le Pink Pussycat se situait à trois rues de là. Clinton Edwards s'y trouvait-il cette nuit encore, inconscient du danger qui planait sur sa tête ? C'était probable. De par son métier, Mac savait que la plupart des gens restaient fidèles à leurs habitudes, notamment dans le domaine de leur vie privée ; une fois défini un schéma, ils se fabriquaient une routine.

Brusquement, la jeune femme poussa une exclamation étouffée :

– Mac ! Je ne vois plus Sid !

– Moi, si. Il est en train de se garer.

Un concert de klaxons retentit. Dissimulée par une grosse Toyota, la Mercedes avait viré vers la gauche, au milieu d'un embouteillage, afin de se précipiter sur une place libre le long du trottoir. Mac soupira, regrettant presque de suivre Sid Carlson avec une telle efficacité. La situation lui plaisait de moins en moins ; elle menaçait même de devenir explosive. Car enfin, qu'adviendrait-il si son imprévisible cliente se retrouvait nez à nez avec son mari en galante compagnie ? Et comment réagirait Carlson en la voyant avec lui ?

Mieux valait prétendre avoir perdu Carlson, errer quelques minutes dans le quartier, puis remmener Julie chez elle.

– Je vais me garer, annonça-t-il en s'orientant vers une ruelle sur sa droite, le plus loin possible de Carlson.

– Vous croyez ? Le temps que nous revenions ici, il aura disparu.

– Mais non. Je sais où il va, affirma-t-il.

Pur mensonge.

Lorsqu'il coupa le contact, cinq minutes plus tard, il fit signe à Julie d'attendre un moment avant de descendre de la voiture. Tendant la main vers la banquette arrière, il saisit un objet que, dans l'obscurité de la ruelle, la jeune femme ne put tout d'abord distinguer. C'était jaune, brillant. Et mou.

– Il faut nous montrer prudents. Votre mari n'est pas aveugle, que je sache.

Il lui tendit la chose mystérieuse et elle écarquilla les yeux en la reconnaissant : la perruque blonde de Debbie.

– Vous plaisantez ? souffla-t-elle, effarée.

– Pas le moins du monde. Mettez-la.

Elle commença par refuser dignement, sans un mot, puis, à la réflexion, elle se dit que Mac n'avait sans doute pas tort. La mort dans l'âme, elle releva ses longs cheveux bruns sur le sommet de sa tête, en un chignon instable, et, vaille que vaille, enfila le postiche. Elle se sentait le crâne serré, le cuir chevelu étouffé. Comment pouvait-on porter ce genre de chose par coquetterie ? En plus, elle devait être grotesque.

– Je ressemble à Jennifer Lopez déguisée en Britney Spears, lâcha-t-elle d'un ton amer.

– Tant que vous ne ressemblez pas à Julie Carlson, tout va bien.

Dès qu'ils atteignirent l'avenue, la foule les enveloppa de toutes parts. Comme tous les samedis soir, les cinémas pornos et les night-clubs faisaient salle comble.

– Où est passé Sid ? s'inquiéta Julie, cramponnée au bras de Mac pour ne pas le perdre dans la cohue.

– Là-bas, assura-t-il en se dirigeant d'office vers la façade illuminée du Sweetwater.

Mac n'avait aucune idée de l'endroit où avait disparu Carlson mais, le Sweetwater étant l'une des boîtes de nuit les plus illustres du quartier, il s'était dit que, peut-être, le mari de Julie y avait ses entrées. Dans le cas contraire, tant pis, ou plutôt tant mieux : la filature s'arrêterait là et il raccompagnerait la jeune femme chez elle.

À l'intérieur de l'établissement, deux filles intégralement nues dansaient dos à dos dans une cage de Plexiglas suspendue à deux mètres du sol. Entre des murs recouverts de papier alu, les clients, des couples hétérosexuels – le plus souvent des hommes en jean et T-shirt et des femmes à demi dévêtues –, se trémoussaient avec enthousiasme au son d'une musique assourdissante.

On les conduisit à une table rectangulaire, non loin de la piste de danse, et ils s'installèrent côte à côte sur une banquette de velours noir. Mac se prit à songer que, par rapport au Pink Pussycat, le Sweetwater faisait peu ou prou figure de salle de patronage.

Comme pour le contredire, une barmaid aux seins dénudés s'approcha d'eux.

– Que voulez-vous boire ?

– Une Heineken, répondit Mac, qui se tourna vers Julie.

– Un verre de vin blanc, s'il vous plaît.

La serveuse s'éloigna avec une moue méprisante à l'intention de la jeune femme. Sans doute la petite robe en piqué de coton rouge, si sage, lui paraissait-elle incongrue en ce lieu. Surtout assortie d'une perruque blond platine.

– Mon Dieu ! chuchota soudain Julie. C'est Sid !

Il suivit la direction de son regard. Et, en effet, Mac le reconnut aussitôt : la haute silhouette mince, les cheveux bruns, les lunettes cerclées d'acier. En bordure de la piste, il discutait avec une jolie rousse, à quelques mètres de leur table. Si jamais il se tournait vers eux...

Refusant de céder à la panique, elle ramena ses longs cheveux acryliques devant son visage et baissa la tête.

– Insuffisant, comme camouflage, murmura Mac à son oreille. Si votre mari regarde vers nous, il vaudrait mieux donner le change.

– Comment cela ?

– Venez sur mes genoux.

12

S'accrochant aux épaules de son compagnon, la jeune femme se colla contre lui et entreprit de grimper sur ses genoux.

Il n'y avait pas à hésiter : un dernier coup d'œil en direction de son mari lui apprit qu'il venait vers eux. Il était seul, la rousse avait disparu.

La musique avait beau déployer un nombre impressionnant de décibels, il lui sembla qu'une voix féminine venait d'interpeller Sid par son prénom. Il progressait entre les tables et le bord de la piste. Dans quelques secondes, il arriverait à leur hauteur.

Blottie contre Mac, le visage enfoui au creux de son épaule, elle le sentit l'enlacer de ses deux bras ; alors, puisqu'il avait parlé de « donner le change », elle pressa ses lèvres contre les siennes.

Elle se déculpabilisa aussitôt en songeant que, après tout, il s'agissait là d'un cas d'urgence.

Ce qui la prit au dépourvu, en revanche, ce fut que, en dépit de ses préférences sexuelles, Mac ne semblait pas éprouver de réticence à son égard. Non seulement il s'abstint de la repousser avec dégoût mais il lui rendit son baiser et, forçant les lèvres de Julie à s'entrouvrir – en réalité, il n'eut guère à les forcer –, il l'embrassa longuement, avidement, profondément, passionnément.

Après quoi il la maintint tout contre lui, d'autorité, en lui caressant le dos.

Elle apprécia.

– Ça fera dix dollars.

Ahurie, Julie mit un moment à revenir sur terre. La serveuse aux seins nus se tenait devant leur table, sur laquelle elle venait de poser leurs deux verres. Ils n'avaient même pas prêté attention à sa présence.

Comme à regret, Mac s'écarta de Julie pour attraper son portefeuille dans sa poche. Il tendit deux billets à la barmaid.

– Gardez la monnaie, dit-il d'une voix enrouée.

La serveuse répondit quelque chose – sans doute « merci » mais Julie n'écoutait pas – et se rendit auprès d'autres clients.

Sans attendre, Julie se colla de nouveau contre le torse de Mac, la gorge sèche. Un feu intérieur la dévorait, si violent qu'elle n'avait qu'une envie : se jeter sur lui.

Tout à coup, alors qu'elle s'agrippait à lui, l'évidence la frappa : le désir qu'elle ressentait était réciproque, elle en sentait la preuve.

Sidérée, elle bredouilla :

– Vous... vous êtes attiré par les deux sexes ?

Il la dévisagea, comme s'il avait du mal à saisir, puis esquissa un demi-sourire.

– Non, dit-il, et il l'attira pour l'embrasser de nouveau, avec encore plus de ferveur que la première fois.

Les mains de Mac descendirent le long de son dos, épousèrent la courbe de ses hanches, lorsque, sans crier gare, la serveuse, qui revenait sur ses pas, trébucha contre leur table, ce qui eut pour effet de renverser leurs verres, auxquels ils n'avaient toujours pas touché. Le vin blanc et la bière se répandirent sur le côté sans les atteindre.

– Oh, excusez-moi ! Je vous en apporte tout de suite deux autres, en remplacement.

– Non, merci, ce n'est pas la peine, fit Mac.

Il secoua la tête afin de reprendre ses esprits. Le charme était rompu. D'un geste doux mais ferme, il écarta Julie.

– Mac ! supplia-t-elle, au bord des larmes.

Il lui caressa la main.

– Julie, regardez, murmura-t-il d'une voix rauque. Sid se dirige vers l'arrière-salle. C'est le moment ou jamais.

– Le moment de... ?

– De sortir d'ici avant qu'il nous ait repérés.

– Nous pourrions rester un peu... plaida-t-elle.

– Non, Julie. C'est trop risqué. Venez, ajouta-t-il en se levant. Allons dans ma voiture.

13

À peine assise dans la Blazer, Julie se pencha vers Mac et, sans ambages, plaqua ses lèvres sur les siennes. La réaction ne se fit pas attendre : il l'embrassa, avec lenteur d'abord, comme pour savourer son plaisir, puis le baiser devint plus insistant. Oui, il la désirait, elle n'éprouvait plus aucun doute à ce sujet.

Satisfaite du résultat mais encore sous le choc de sa récente découverte, la jeune femme reprit ses distances. Inutile de perdre la tête. Il lui fallait d'abord se livrer à une mise au point.

– Vous n'êtes pas gay, lança-t-elle, à la fois affirmative et plus ou moins accusatrice.

Il se renfonça dans son siège, sans un mot. Il devait se sentir coupable de lui avoir menti. Elle croisa les bras et se tourna vers lui.

– Je n'ai jamais prétendu que je l'étais, dit-il enfin, glacial.

À la grande déception de Julie, il remit le moteur en marche, ce qui signifiait qu'ils n'allaient plus avoir la possibilité de s'embrasser avant longtemps. Comble de déplaisir, Mac, pour autant qu'elle pût en juger, n'arborait en rien la mine d'un coupable.

– Bien sûr que si ! s'emporta-t-elle. Lorsque je vous ai posé la question, vous m'avez avoué que...

– Je n'ai rien avoué du tout. Je vous ai demandé si cela

vous posait un problème et, si ma mémoire est bonne, vous m'avez répondu que non.

Dehors, les néons éclairaient un terrain vague aux murs envahis de tags. Mac stoppa au carrefour et Julie profita de cette pause pour attaquer :

– Ah, la mauvaise foi masculine ! Vous avez sous-entendu que vous étiez gay, ce qui revient au même !

– Vous avez tiré vos propres conclusions, à vos propres dépens. Ce n'est pas ma faute.

D'un geste rageur, elle arracha sa perruque blonde et la jeta sur la banquette arrière. Dans l'obscurité, elle ne pouvait distinguer le petit sourire qui se dessinait sur les lèvres de Mac.

– Pas votre faute ! Et peut-on savoir pour quelle raison vous vous promeniez déguisé en vamp des années cinquante ? Vous n'allez pas me raconter que vous faites partie de ces hétéros qui s'amusent à se travestir en femmes, tout de même ?

– Mais non. Si j'ai adopté l'apparence d'une drag-queen, la nuit dernière, pour la première et dernière fois de mon existence, permettez-moi de le préciser, ce n'était pas par plaisir, croyez-le bien. Le corset à baleines est un instrument de torture digne du Moyen Âge, pour ne rien dire des talons aiguilles.

– Alors, pourquoi ?

– À cause d'un client. Ou plutôt à cause du mari d'une cliente. Mon associé et moi, nous devions prendre des clichés compromettants, à titre de preuve pour le divorce : j'étais censé accompagner ce type chez lui, danser un ou deux slows langoureux avec lui, et pendant ce temps-là Hinkle, mon associé, devait faire ses photos. Voilà. Mais rien ne s'est déroulé comme prévu : au moment où je suis monté dans ma voiture, sur le parking du Pink Pussycat, vous avez surgi. D'une manière spectaculaire, je dois vous reconnaître ce mérite.

– L'homme en question, c'était le gros avec la drag-queen qui m'a insultée ?

– En effet.

Ils roulaient maintenant en direction du boulevard extérieur, tant bien que mal, car une partie de la chaussée était fermée pour travaux, ce qui ralentissait la circulation.

– Vous m'avez menti, reprit-elle, toujours les bras croisés.

– Si vous aviez su depuis le début que j'aimais les femmes, auriez-vous accepté mon aide avec autant de facilité ?

Elle considéra la question : en toute franchise, l'objection était valable, a priori. En tout cas, elle n'aurait jamais accompagné Mac chez lui.

– En somme, riposta-t-elle néanmoins, vous m'avez menti pour mon bien.

– On peut envisager les choses de cette façon.

Ils venaient de s'engager sur la bretelle d'accès à l'autoroute. Mac accéléra, laissant les embouteillages derrière lui.

– Et Josephine ? Elle est à vous, au moins ? Ou faisait-elle partie de votre déguisement ?

– Il y a encore trois semaines, Josephine était la propriété exclusive de ma grand-mère, laquelle vient d'emménager dans une maison de retraite. Ils n'acceptent pas les animaux, là-bas, et je commence à comprendre pourquoi... J'ai donc hérité du caniche, avec tout le matériel : le collier de strass, la laisse noire et un abonnement hebdomadaire chez le toiletteur.

Encore sceptique, elle étudia son profil. L'imaginer pourvu d'une grand-mère et s'occupant d'un chien par pur dévouement lui paraissait saugrenu.

– C'est vrai, ce mensonge ?

– On ne peut plus vrai. Hélas.

Ce fut surtout le « hélas » qui eut le don de la convaincre.

– Écoutez, Julie, je ne vois pas pourquoi vous vous

mettez martel en tête. Qu'est-ce qui vous choque dans cette histoire ? Vous aimiez bien Debbie, il me semble.

– Oui, mais pas pour sortir avec lui !

Les mots avaient jailli avant qu'elle pût les retenir. Consternée, elle se mordit la lèvre inférieure.

– Ah ! De mieux en mieux ! fit-il.

Elle bénit l'obscurité de la voiture, qui interdisait à Mac de voir la couleur de ses joues. Plus rouges encore que sa robe.

L'horloge du tableau de bord indiquait 1 h 43. Cela lui accordait une bonne heure de répit avant le retour de Sid. Que fallait-il décider ? Elle devait se séparer de son mari, c'était évident. Et demander le divorce sans perdre de temps. Mais que faire dans l'immédiat ? Emballer quelques effets personnels et quitter la maison sans tarder ? Oui, mais pour aller où ? À l'hôtel ? Chez Becky ? Chez Dixie ? Non. Parce que, si elle divorçait, l'abandon du domicile conjugal la placerait automatiquement dans son tort aux yeux de la loi. Ce qui serait un comble. C'était Sid qui s'adonnait à l'adultère. Pas elle.

– Dans cette affaire, j'ai noté un élément qui me chiffonne, remarqua-t-il après un silence. Un homme en vue, une célébrité locale comme Sid Carlson ne va pas tromper sa femme en draguant au Sweetwater : c'est un bar à filles à peu près aussi couru que le Pink Pussycat dans son genre. Il risquerait d'y croiser des gens qui le reconnaîtraient. Sa réputation ne s'en relèverait pas. Un homme comme lui louerait un appartement discret afin d'y rejoindre sa maîtresse, ou encore il lui fixerait rendez-vous en dehors de Charleston, lors de prétendus voyages d'affaires.

– C'est logique, admit-elle. Qu'en déduisez-vous ?

– Pour l'instant, pas grand-chose. En tout cas, je doute fort que, cette nuit, il soit allé retrouver une quelconque maîtresse.

– Ah bon ? s'étonna-t-elle.

Puis un détail lui revint en mémoire :

– Tout à l'heure, il n'a pas pris de Viagra. J'ai vérifié le nombre de comprimés.

– Bon. Voilà qui confirme mon hypothèse.

– Qu'en pensez-vous ? Vous croyez que, au bout du compte, il ne me trompe pas ?

Contre toute attente, cette idée ne l'emplissait pas de bonheur. Sans doute parce que, en son for intérieur, Julie savait qu'elle était fausse. Et aussi parce que son mariage, de toute façon, s'avérait un échec.

– Je ne dis pas cela, répondit Mac. Le Viagra qu'il utilise ne vous est pas destiné : donc il y a adultère. Mais pas cette nuit. Votre mari avait une autre raison d'aller au Sweetwater.

– Vous pourriez la découvrir ?

– Oui, avec un peu de chance.

– Combien de temps vous faudra-t-il ?

– Une semaine, environ.

– Je pourrais en profiter pour me chercher un avocat.

Outre ses propres intérêts, il lui fallait veiller à la sécurité matérielle de sa mère et de sa sœur.

– Excellente idée, approuva-t-il. Maintenant, une précision : vous vous rendez compte que, lorsqu'il s'apercevra que vous voulez demander le divorce, Sid va tout tenter pour gagner ?

– En quel sens ?

– Quand je dis « tout », je pèse mes mots. Ce genre d'affaire est souvent sordide, tous les coups sont permis, surtout les coups bas. D'après ce que j'ai cru saisir, votre mari a le profil pour cela... Il faut donc que vous soyez absolument sûre de votre avocat.

Il freina devant la maison puis coupa le contact. La jeune femme ne s'était même pas aperçue qu'ils étaient arrivés.

– L'inconvénient, c'est que tous les avocats que je connais sont des amis de mon mari.

– C'est dangereux. Voulez-vous que j'essaye de vous en trouver un ?

– Vous feriez cela pour moi ?

– Avec plaisir !

Devant ce cri du cœur, la rancune de Julie s'envola. Mac était solide comme un roc. Elle pouvait se reposer sur lui. Toutefois, au moment d'ouvrir sa portière, elle eut à cœur de conclure :

– Nos relations doivent se limiter à un domaine strictement professionnel... Je vous demande d'oublier ce qui s'est passé cette nuit, Mac. Je n'ai... je n'ai pas l'intention de... de coucher avec vous.

Il serra les lèvres mais elle ne put déterminer si c'était pour masquer sa déception ou pour réprimer un sourire.

– Mais... c'est bien ainsi que je l'entendais, Julie, répliqua-t-il.

Ses intonations étaient tellement neutres qu'elle renonça à les décrypter.

14

Rien n'allait comme prévu. Julie Carlson échappait à tout contrôle. Elle était censée dormir bien sagement, là, dans la grande chambre conjugale, et voilà que pour la deuxième nuit consécutive elle prenait la clé des champs. Où était-elle encore passée, bon sang ? S'il ne remplissait pas son contrat dès maintenant, Roger Basta aurait un mal de chien à se faire payer.

Le coup de fil du Big Boss avait été éloquent :

– C'est cette nuit ou jamais, compris ? Plus de tergiversations. C'est clair ?

Basta s'était faufilé sans difficulté à l'intérieur de la bâtisse, à la recherche d'indices qui auraient pu expliquer l'absence de la jeune femme. Pas de papier griffonné à la hâte dans le hall, avait-il constaté. Pas de message sur le répondeur. Pas de note sur le réfrigérateur. La voiture de remplacement prêtée par la compagnie d'assurance se trouvait à sa place dans le garage ; il l'avait entr'aperçue par la porte endommagée, que l'on n'avait pas encore réparée. Le seul véhicule qui manquait était la Mercedes noire. Par conséquent, soit Julie Carlson se promenait à pied dans les rues au beau milieu de la nuit, soit quelqu'un était passé la chercher.

Fatigué de réfléchir, il se cala dans son fauteuil de cuir, au bout du salon, et se concentra sur l'écran lumineux installé sur ses genoux. Il avait découvert la Game Boy dans l'une des chambres et, plutôt que de se morfondre en guettant le retour de sa proie, il s'était résolu à prendre son mal en patience le plus agréablement possible.

Basta était trop occupé à terrasser l'abominable dragon pour entendre le déclic de la porte d'entrée.

Soudain, le lustre du hall répandit un éclairage cru à l'autre extrémité du salon, manquant lui causer un infarctus. Ses doigts se crispèrent sur le clavier de la console, puis, avec précaution, il la déposa sur le tapis. Sans bruit. Ne pas se faire repérer.

Une silhouette se détacha dans le carré de lumière, à l'entrée du salon, puis un pas léger commença à gravir l'escalier. Julie Carlson. Il la reconnaissait à l'oreille. Et elle était seule. Retenant son souffle, Basta consulta sa montre du regard et ébaucha un sourire. Il avait tout son temps.

Il écouta le bruit des pas sur les marches, s'assura qu'elle avait atteint le premier étage. Enfin, il referma son sac à dos, non sans y inclure la Game Boy ; après tout, il n'y avait pas de petit profit. Et puis il avait touché le clavier sans enfiler ses gants ; trop tard pour effacer les empreintes. Ne pas laisser de traces.

En arrivant dans sa salle de bains, Julie se démaquilla rapidement, se déshabilla et saisit son peignoir sur la patère avant de se diriger vers la cabine de douche. Au dernier moment, elle se retourna vers le lavabo afin d'attraper son bonnet de bain, qu'elle avait oublié sur la tablette.

Ce fut là qu'elle le vit, dans le miroir à trois pans.

Un homme s'encadrait sur le seuil de la salle de bains. Immobile, il la fixait du regard, le visage à moitié dissimulé par une cagoule de ski, les mains protégées par des gants de chirurgien. Et il brandissait un pistolet. Vers elle.

Elle eut la sensation que son cœur s'arrêtait de battre.

– Salut, Julie, fit-il tandis qu'elle demeurait pétrifiée, sans réaction.

La voix était caressante, insinuante, en contradiction avec le pistolet. La jeune femme n'eut pas besoin de réfléchir pour comprendre : un violeur. Peut-être même un assassin. Un frisson glacé lui parcourut l'échine.

Le souffle court, elle ne pouvait détacher ses yeux de l'arme, qu'il pointa peu à peu vers son visage, sans précipitation, comme pour jouir de sa terreur. Soudain, dans un réflexe incontrôlé, elle empoigna sur la tablette du lavabo le premier objet qui lui tomba sous la main : son bac de cire à épiler. D'instinct, elle le jeta à la tête de son agresseur.

C'était un bac de taille modeste, mais très lourd, et de surcroît il contenait une bonne quantité de cire froide. Le projectile percuta l'homme en plein milieu du front, avec un bruit mat.

– Espèce de garce ! s'exclama-t-il sous la violence du choc.

Il recula d'un pas, dans le couloir, et elle mit à profit cette défaillance momentanée pour tenter de forcer le passage : se ruant dans l'embrasure de la porte, elle le bouscula et tenta de s'échapper vers l'escalier en criant de toutes ses forces.

– Au secours ! À l'aide !

L'homme ne lui laissa pas le loisir de poser le pied sur la première marche ; en trois enjambées, il fut auprès de la jeune femme. Il respirait par saccades. Lâchant son arme, il l'attrapa à bras-le-corps et la plaqua contre lui. Elle se débattit, au bord de la nausée, pendant qu'il l'entraînait vers la chambre. Elle lui mordit le bras – mais il portait une veste –, lui griffa une main – mais il avait des gants –, lui donna des coups de pied – mais elle avait ôté ses chaussures.

Quand il la projeta sans ménagement sur le lit, elle essaya de lui arracher sa cagoule, en vain : déjà, il s'était allongé sur elle et l'écrasait de tout son poids. Le peignoir de Julie s'était ouvert dans la bagarre ; nue, sa peau percevait le contact rugueux des vêtements de son agresseur. Elle poussa un hurlement.

– Ta gueule !

D'une main, il lui enserra le cou, avec une telle brutalité qu'elle en perdit le souffle. Sous l'effet de l'épouvante, ses dents s'entrechoquèrent. Puis il s'écarta légèrement afin de s'emparer d'un objet sur le côté du lit. Julie entendit un bruit étrange, une sorte de déchirement, après quoi elle distingua un rouleau de ruban adhésif qu'il lui enroula autour des poignets en une fraction de seconde, à double tour. Les bras paralysés, elle cria de désespoir.

Une main gantée s'abattit sur son cou.

– Ferme-la, ou je te broie la gorge ! dit-il avant de couper le ruban avec ses dents.

Hormis la lumière de la salle de bains, la chambre était plongée dans les ténèbres, mais Julie pouvait discerner la lueur de son regard, à quelques centimètres de son visage, l'éclat de ses dents, l'arête de son nez sous la cagoule...

Son nez.

Avec la sauvagerie d'un animal pris au piège, elle se redressa, ouvrit la bouche et visa les narines de son adversaire.

Il y eut un craquement sourd. Du sang chaud et poisseux dégoulina dans sa gorge. Elle se retint pour ne pas vomir.

Avec un hurlement, il la frappa sur la tempe au moyen du rouleau adhésif, à toute volée, dans l'espoir de l'obliger à lâcher prise. Le coup fut assené avec une telle puissance que Julie faillit s'évanouir. Tandis qu'il portait la main à sa blessure, elle se sentit investie d'une énergie dont elle ne se serait jamais crue capable, dictée par l'instinct de survie, et, repoussant l'homme sur sa gauche, elle bondit hors du lit, se rua dans le couloir, dévala les premières marches. À cinq pas derrière elle, il se précipita à son tour.

Elle ne savait pas s'il avait ramassé son arme dans le couloir. Oui, sans doute.

D'un instant à l'autre, il pouvait tirer sur elle.

Pieds nus, elle franchit la moitié du hall ; le tueur se rapprochait de seconde en seconde.

– Julie !

La voix de Mac était le son le plus réconfortant qu'elle eût jamais entendu, et cette voix provenait de la cuisine. Avec un cri, Julie courut dans sa direction, à l'aveuglette dans le noir, heurta le chambranle de la salle à manger et fit irruption dans la cuisine.

– Julie !

– Mac ! Au secours !

Elle sentit le carrelage glacial sous ses pieds, trébucha lorsque Mac se porta au-devant d'elle et faillit entrer en collision avec la table de marbre, au centre de la pièce. Il avait allumé le plafonnier, elle voyait tout, et pourtant elle avait perdu ses repères.

– Mac !

Il était armé d'un revolver.

Dans un sanglot, elle se rua vers lui ; il la rattrapa juste à temps pour lui éviter de tomber et la tint serrée contre lui.

– Julie ! Julie... Tout va bien. C'est fini.

Cramponnée à lui, elle essaya d'articuler un mot mais aucun son ne sortit de sa gorge.

– Restez ici, je vais voir ce qui...

Elle s'agrippa à sa chemise, dans une étreinte convulsive :

– Non, n'y allez pas ! Il a un pistolet.

Ses oreilles bourdonnèrent, les murs vacillèrent autour d'elle. Ses genoux se dérobèrent sous son poids et elle distingua le carrelage de la cuisine, bizarrement proche de son visage.

15

– Julie ! Mon Dieu, Julic !

Elle venait de s'évanouir entre ses bras.

Il soutint la jeune femme inerte, tout en surveillant le seuil de la cuisine au cas où l'agresseur ferait son apparition. Mais, pour l'instant, aucun signe de sa présence.

Avec mille précautions, il la déposa sur une chaise et s'agenouilla auprès d'elle, de plus en plus inquiet. Il avait remarqué la présence de sang sur le visage de Julie, ainsi qu'une ecchymose à la tempe. En l'observant de plus près, il constata une trace rougcâtre sur sa gorgc. En outre, on lui avait ligoté les poignets à l'aide d'un ruban adhésif, enroulé sur deux épaisseurs ; Mac en coupa la majeure partie avec un couteau qu'il aperçut près de l'évier puis ôta le reste d'un geste vif, sachant qu'il aurait été plus douloureux de procéder lentement.

Avait-elle été violée ?

L'homme se cachait encore dans la maison, Mac en avait la certitude. Son sixième sens – ou son flair de policier – ne le trompait jamais.

Dans ces conditions, pas question d'abandonner Julie sur place pour se lancer à la poursuite de son assaillant. D'autant que celui-ci était armé, avait-elle dit. Si jamais le malfaiteur venait à s'enfuir par la cuisine et qu'il la trouve là...

Dans l'immédiat, Mac se devait d'assurer la sécurité de la jeune femme.

Tant pis pour l'agresseur. Il ne perdait rien pour attendre. Soulevant Julie par les aisselles, il la hissa contre son torse et, la tenant fermement entre ses bras, gagna la porte de service.

Au moment de sortir, il avisa un trousseau de clés suspendu à un crochet près de la porte ; l'une d'elles était une clé de voiture. Il réfléchit vite : il avait aperçu une Infiniti blanche dans le garage de Julie, à la place de la Jaguar. Il devait s'agir du véhicule fourni par la compagnie d'assurances. Mac empocha le trousseau.

Il comptait emmener Julie à l'hôpital. Sid rentrerait tôt ou tard, la police effectuerait son travail et, le lendemain, tout Summerville apprendrait l'incident. Dans l'intérêt de Julie, mieux valait que l'on continue d'ignorer qu'elle avait engagé un détective privé pour espionner son mari.

Il jugea donc préférable de choisir l'Infiniti, plutôt que la Blazer. Lui-même quitterait les lieux, une fois Julie en sûreté au service des urgences. Plus tard, elle pourrait toujours raconter aux inspecteurs qu'elle avait réussi à s'enfuir seule et à se rendre à l'hôpital.

À condition qu'elle reprenne conscience.

L'une des clés actionna sans problème la serrure de l'Infiniti. En quelques secondes, Mac ouvrit la porte du garage, remit son revolver dans son étui et installa Julie sur le siège passager, sans s'accorder le loisir de l'allonger sur la banquette arrière. Il lui fallait agir très vite, au cas où l'agresseur viendrait rôder dans les parages. Puis, allumant le contact, il démarra en trombe et atteignit le portail.

Arrivé sur la chaussée, à deux mètres de l'endroit où il avait garé sa voiture, il freina, ouvrit la portière conducteur de la Blazer et attrapa son portable, avant de claquer la portière et de rejoindre la jeune femme.

Poussant le moteur à fond, il appela le 911 afin de signaler à la police qu'un cambriolage était en cours dans la maison des Carlson. Du moins cela attirerait-il des enquêteurs sur les lieux, à défaut d'autre chose. Le malfaiteur, quant à lui, serait parti depuis longtemps, à moins d'être suicidaire.

À côté de lui, Julie, toujours inerte, exhala un gémissement. Affolé, il faillit brûler un stop, jeta un coup d'œil à droite et à gauche, puis fonça vers le boulevard extérieur.

– Mac ?

La voix de Julie était faible mais elle capta toute l'attention de Mac, qui, grillant cette fois un second stop, se pencha vers la jeune femme. Fixant sur lui ses grands yeux noirs, elle s'acharnait à se redresser sur son siège.

– Oui, Julie. Ne bougez pas. Nous sommes en route pour l'hôpital.

– Seigneur ! Je... Mac... je...

Ses mots se perdirent dans un sanglot étouffé.

– Tout va bien, affirma-t-il dans un élan d'optimisme qu'il était loin d'éprouver, faute de savoir exactement ce qui était arrivé à la jeune femme. Vous êtes en sécurité.

– Je... j'ai dû m'évanouir.

– Oui... Connaissiez-vous l'homme qui vous a attaquée ?

– Non, enfin je ne crois pas. Il portait une cagoule. Mais lui, il... il savait mon nom.

– Pourriez-vous quand même le décrire ?

Elle secoua la tête, répéta qu'elle n'avait aperçu qu'une cagoule.

– Il vous a frappée ? Vous souffrez ?

– Oui, à la tête. Il m'a donné un coup à la tempe. Et il m'a serré le cou. Il a essayé de m'étrangler. Et j'ai mal aux poignets. Ensuite... ensuite...

Sa voix se brisa. Mac serra les dents en la voyant déployer des efforts désespérés afin de se tenir plus droite contre son dossier.

– On va vous soigner à l'hôpital. Nous y serons dans cinq minutes.

– L'hôpital ?

– C'est là que nous allons.

À l'évidence, elle avait oublié qu'il venait de le lui dire, et cela tourmenta Mac plus encore que le reste. Par chance, ils roulaient vite : à 3 heures du matin, dans ce quartier, la circulation était quasi inexistante.

– Mac... Arrêtez-vous tout de suite, s'il vous plaît !

– Pourquoi ?

– Je ne me sens pas bien.

Il freina en catastrophe sur le bas-côté, en lisière d'une rangée d'arbres. Julie venait de sortir du véhicule, appuyée contre l'épaule de Mac, lorsqu'elle bascula vers l'avant. Il la retint de justesse tandis que, avec un spasme, elle tombait à genoux dans l'herbe.

16

Julie avait la tête qui tournait ; l'estomac chaviré, elle luttait de toutes ses forces pour ne pas vomir. En fin de compte, par un miracle de sa volonté, elle réussit à réprimer sa nausée. Elle prit une profonde inspiration, expira, recommença, puis, le malaise passé mais la tête toujours douloureuse, elle se laissa glisser sur le côté et resta assise quelques instants.

– Julie ? Ça va ?

Mac s'accroupit près d'elle et, anxieux, scruta le petit visage blême.

– Oui, dit-elle d'une pauvre voix, et elle se mit à grelotter.

Serrant contre elle les pans de son peignoir, elle s'aperçut qu'elle mourait de froid. Ses jambes et ses pieds nus, dans l'humidité de l'herbe, étaient en train de s'ankyloser.

– Il y a une fontaine d'eau potable à quelques dizaines de mètres, indiqua Mac tout en lui frottant le dos pour la réchauffer. Vous voulez boire un peu ?

– Oui, oh oui...

Ce fut seulement à cette minute qu'elle reconnut l'endroit : ils se trouvaient en bordure de Sawyer Park, un jardin public fréquenté par les enfants du quartier, qui venaient profiter des bacs à sable, des trampolines et des balançoires. La jeune femme y emmenait souvent Erin et Kelly le dimanche après-midi.

Mac l'aida à se relever afin de la conduire, pas après pas, jusqu'à une haute fontaine de pierre grise qui brillait sous le clair de lune, au bout d'une allée déserte.

– Comment avez-vous su que j'étais en danger ? interrogea-t-elle chemin faisant.

– Vous avez crié. J'étais resté, en pensant guetter l'arrivée de votre mari, et je me tenais dans votre jardin, près de la piscine, lorsque je vous ai entendue... Mon Dieu ! Jamais je n'ai eu aussi peur de ma vie... J'ai couru vers la porte de service et, là, j'ai vu que quelqu'un l'avait déjà fracturée...

Elle se blottit un peu plus contre lui tout en marchant.

– Mac... Merci.

– Merci de quoi ?

– Vous m'avez sauvé la vie.

Ils continuèrent leur route en silence, puis elle demanda :

– Vous aviez un revolver, je crois ?

– Oui.

– Vous savez manipuler ces choses-là ?

– J'ai été policier, autrefois. Et avant, j'ai servi chez les Marines. Vous voilà rassurée, maintenant ?

– Oui. Non. C'est-à-dire... Pourquoi avez-vous quitté la police ?

Les mâchoires de Mac se contractèrent ; Julie perçut une brusque tension dans son corps.

– On m'a radié, répondit-il enfin.

– Radié de la police ?

C'était bien la dernière chose qu'elle aurait imaginée. Mac lui apparaissait comme l'homme le plus fiable, le plus digne de confiance qu'elle eût jamais rencontré.

– Comment est-ce arrivé ? voulut-elle savoir.

– Parmi les pièces à conviction, dans une affaire de drogue, il manquait plusieurs sachets. On les a mystérieusement trouvés en ma possession. Une foule de gens étaient soudain prêts à témoigner sous serment que je vendais de la poudre. Alors on m'a renvoyé. J'aurais pu faire l'objet de poursuites mais la hiérarchie, paraît-il, désirait par-dessus tout éviter que cette histoire ne s'ébruite.

– Vous étiez innocent.

Ce n'était pas une question, mais une affirmation.

– Bien sûr. L'homme sur qui j'enquêtais, à l'époque, avait monté un traquenard. Il a dégainé le premier, en quelque sorte.

Au bord de la fontaine, elle s'écarta de lui pour s'incliner sous le filet d'eau. Elle but deux ou trois gorgées, se rinça la bouche, se passa le visage sous l'eau fraîche. Quand elle eut fini, elle fit volte-face vers Mac en se tapotant les joues avec les doigts.

– Venez.

Il l'enlaça et, à l'aide d'un mouchoir, acheva de lui essuyer le visage, après quoi il la garda serrée contre lui un peu plus longtemps que nécessaire.

– Nous retournons à la voiture ? proposa-t-il enfin. Voulez-vous que je vous porte ?

– Je peux continuer à marcher.

Il se sentit à la fois soulagé de constater qu'elle allait de mieux en mieux et déçu qu'elle ait refusé son offre.

Mac lui tint la portière de l'Infiniti pendant qu'elle s'affalait plutôt qu'elle ne s'asseyait sur le siège passager. Lorsqu'il s'installa au volant, elle se blottit contre lui, la tête sur son épaule, une main contre son bras. Il n'avait pas encore remis le moteur en marche. Soudain, sans lui en laisser le temps, elle déboucla sa ceinture de sécurité et, passant les deux bras autour de son cou, elle quémanda un baiser, le cœur battant. Leurs lèvres s'unirent l'espace d'un instant trop bref au gré de la jeune femme ; ensuite, sans cesser de lui caresser tour à tour la taille, le dos, les cuisses, Mac la repoussa doucement :

– Julie, vous n'êtes pas en état de...

– Je vais beaucoup mieux.

– Seuls les médecins nous le diront, répliqua-t-il d'un ton ferme.

La voiture démarra deux secondes plus tard.

Mac rangea l'Infiniti dans le parking des urgences et, après avoir coupé le contact, il resta immobile un moment, les mains à plat sur le volant, à scruter le visage de Julie dans le halo jaunâtre des réverbères.

– Il faut que je sache, fit-il, la gorge sèche. Est-ce que ce type vous a violée ?

– Non. Non, il n'en a pas eu le temps. Il a essayé, mais... non.

– Vous vous êtes débattue comme un beau diable ?

– Oui. Mais surtout, je lui ai mordu le nez. Après, j'ai pris la fuite.

– Vous lui avez mordu le nez ? répéta-t-il, abasourdi.

Il la dévisagea, incrédule :

– Vous l'avez mordu, alors qu'il était armé ?

– Euh... oui. Il saignait beaucoup, c'était écœurant. Il a poussé un hurlement et il s'est écarté de moi. C'est là qu'il m'a frappée à la tempe. Mais je lui ai échappé, conclut-elle, triomphante.

L'expression stupéfaite de Mac se mua peu à peu en un sourire admiratif :

– Eh bien, on ne peut pas dire que vous ayez froid aux yeux ! Moi qui vous prenais pour une faible femme !

Plus tard, quand les policiers furent arrivés à l'hôpital en compagnie d'un Sid Carlson affolé, suivis dix minutes plus tard par une Dixie et une Becky encore plus malades d'angoisse, Mac sortit de sa retraite – un énorme ficus en pot derrière lequel il s'était dissimulé au fond du couloir – et quitta le bâtiment. Julie n'avait plus besoin de lui. Du moins pour l'instant.

L'aube commençait tout juste à poindre sur les bois environnants, dans des nuances gris-bleu. Mac héla un taxi, devant l'entrée principale, et composa un numéro sur son téléphone cellulaire.

Lorsque Mama Jones répondit, d'une voix ensommeillée qui équivalait à un reproche, Mac choisit ses mots avec soin :

– Il me faudrait un certain nombre d'informations. Tu peux t'en charger ?

17

Le mardi matin, Julie retourna à son travail. Elle avait passé la journée du dimanche à l'hôpital, d'abord pour examens puis en observation, et celle du lundi chez sa mère. Elle conservait une large contusion sur la tempe droite, ainsi qu'une ecchymose sur la gorge. Néanmoins, les médecins n'avaient pas diagnostiqué de commotion cérébrale. En revanche, ils lui avaient prescrit des analgésiques pour l'aider à surmonter ses douleurs à la tête, qui menaçaient de tourner à la migraine.

Comme les traces de son agression arboraient une flamboyante couleur violacée, la jeune femme s'était efforcée de les dissimuler sous une couche de fond de teint, sans grand résultat. En leur honneur, elle avait donc résolu de porter une robe violette, ainsi qu'une écharpe dans les mêmes tonalités autour de son cou, trop chaude pour la saison, en complétant le tout par une ceinture de cuir violine et des sandales mauve foncé.

Au moins, songea-t-elle en s'examinant dans l'un des miroirs de la boutique, nul ne pouvait l'accuser d'ignorer la notion de « ton sur ton ».

Non qu'elle ait pu échapper aux commentaires ni aux interrogations. Tous l'avaient pressée de questions en lui réclamant des détails, depuis les policiers jusqu'à son mari, sans oublier sa mère, sa sœur, les amis, les voisins, et toutes sortes de gens dont elle ignorait jusqu'alors l'existence.

Seule l'intervention de Sid, mêlant prières et menaces, avait empêché que l'affaire figurât à la une des journaux locaux. De l'avis général, l'agression dont elle avait été victime devait comporter un lien avec le vol de sa Jaguar. Soit le cambrioleur avait ensuite décidé d'aller « visiter » sa maison ; soit l'agression était prévue depuis le début, pour quelque obscure raison, et le malfaiteur était revenu sur place la nuit suivante en vue de terminer son « travail ».

En toute logique, il était en effet peu vraisemblable que deux délits sans rapport l'un avec l'autre aient pu être commis dans une même maison en l'espace de vingt-quatre heures.

Rassurants et un brin paternalistes, les policiers lui avaient affirmé qu'ils ne tarderaient pas à éclaircir le mystère et que, par ailleurs, le criminel ne reviendrait probablement pas la harceler.

Sur ces deux points, Julie demeurait plus que sceptique. D'une part, elle avait la certitude que son agresseur n'était pas l'un des deux braqueurs du parking. Ceux-ci avaient forcément trouvé ses clés dans son sac à main – précision qu'elle avait omis de mentionner dans sa déposition, sous peine de compromettre la cohérence de ses mensonges – et, de ce fait, ils n'auraient pas eu besoin de fracturer la serrure de la porte de service pour pénétrer dans la maison. D'autre part, rien ne lui garantissait que le malfaiteur ne tenterait pas sa chance une seconde fois.

Pour des raisons évidentes, elle ne pouvait confier ses doutes qu'à Mac. Il lui avait téléphoné à deux reprises, à l'hôpital puis chez Dixie ; ils s'étaient parlé rapidement, à demi-mot. La jeune femme ne l'avait pas revu depuis qu'il l'avait accompagnée aux urgences.

À son grand regret.

Ce matin-là, une effervescence inhabituelle régnait dans la boutique, d'abord parce que Julie avait regroupé les rendez-vous du lundi et du mardi, et ensuite parce que le concours des « Belles du Sud » devait commencer le surlendemain. En dehors de Carlene Squabb, Julie habillait sept jeunes filles, qui toutes étaient venues pour un ultime essayage. Le simple fait de se retrouver à genoux, des épingles entre les lèvres, à retoucher un ourlet, lui offrait un réconfort salutaire. La vie reprenait ses droits et le travail l'aidait à oublier le cauchemar qu'elle venait de traverser.

Lorsque retentit la sonnerie du téléphone, elle était toujours agenouillée, en train de vérifier le plissé d'une robe du soir en satin aigue-marine qu'avait enfilée l'une des concurrentes.

– Julie, on vous demande, annonça Meredith en passant la tête dans la cabine d'essayage. Un certain Max ou Mac.

Elle confia sa cliente à la vendeuse et se rendit près de la caisse. La jeune fille, du nom de Tara Lumley, était charmante, comme toutes les autres participantes au concours, du reste, à l'exception de Carlene Squabb.

– Bonjour, dit-elle en se saisissant du combiné.

– Bonjour. Vous avez des projets pour le déjeuner ?

Au seul son de sa voix, le pouls de Julie s'était accéléré.

– J'ai déjà mangé, répondit-elle, faisant allusion aux deux carottes et aux trois crackers qu'elle avait grignotés un quart d'heure plus tôt.

– Moi aussi. Alors, que diriez-vous de me rejoindre juste en face, devant le Taco Bell ? Je suis déjà sur place. J'aimerais vous parler.

– À quel sujet ?

– Je vous expliquerai.

La jeune femme hésita, songeant à Tara. Amber était sortie pour sa pause déjeuner, ce qui signifiait que l'entière responsabilité du magasin allait incomber à Meredith. D'un autre côté, Amber serait de retour dans une heure et Meredith se montrerait tout à fait capable de diriger les opérations durant ce laps de temps, pourvu que Julie regagnât Carolina Belle aux alentours de 15 heures, pour le rendez-vous de

Carlene. Sa décision fut prise en un instant : elle avait besoin de s'accorder un répit avant cette épreuve.

– Entendu, répondit-elle avant de raccrocher. À tout de suite.

Elle rencontra son reflet dans un miroir et s'observa d'un œil critique. Soudain, toutes ces teintes violacées, assorties à ses contusions, lui parurent navrantes. Elle alla fouiller parmi les portants, jusqu'à ce qu'elle découvrît ce qu'elle cherchait : une robe sans manches, bleu ciel, très courte. Courant s'enfermer dans son bureau, la jeune femme enleva sa robe et son écharpe, qu'elle abandonna sur un cintre au milieu d'un stock, et attrapa un collier de chien à quatre rangs de perles fantaisie, qu'elle s'enroula autour du cou afin de dissimuler son ecchymose. Avec ses longs cheveux noirs et sa peau hâlée, dont la robe claire et les perles blanches accentuaient le bronzage, elle n'avait pas si vilaine allure, après tout.

À l'idée que Mac se trouvait juste en face, de l'autre côté de la rue, elle se sentait près de défaillir comme une collégienne à son premier rendez-vous.

Elle prévint Meredith qu'elle comptait s'absenter pour aller faire une course puis traversa la chaussée en direction du Taco Bell, à droite du supermarché où Mac était déjà passé la chercher. Sous un soleil de plomb, la circulation était dense dans les deux sens ; c'était l'heure du shopping pour les touristes de Summerville. S'abritant les yeux avec la main, elle courut vers le trottoir opposé en slalomant entre les véhicules.

Un employé de la parfumerie voisine, qui fumait une cigarette sur un banc, la salua d'un signe amical avant d'écarquiller les yeux en discernant une étrange tache foncée sur sa tempe, preuve que ses tentatives de camouflage ne s'avéraient pas aussi efficaces qu'elle se l'était imaginé.

Il y avait foule au Taco Bell. Une file de motos et d'automobiles s'alignait devant le restaurant, en bordure du parking du supermarché. Julie allait pousser la porte de l'établissement lorsqu'elle s'entendit hélée au-dehors par une voix masculine. Elle fit volte-face. Mac se tenait parmi les dernières voitures, adossé à sa Blazer, les bras croisés. Il portait un jean et une chemise hawaiienne aux couleurs si chatoyantes qu'elle semblait rivaliser avec le soleil. Une paire de lunettes noires dissimulait son regard.

Qu'il était beau ! songea-t-elle, le cœur battant à cent à l'heure. Elle se sentait émue de le revoir ainsi, et en même temps assez embarrassée : ne s'était-elle pas littéralement jetée sur lui, et cela à plusieurs reprises ? Mac était le seul homme à qui elle eût jamais fait des avances.

Et il l'avait repoussée. Sans animosité, mais avec fermeté.

Elle ignorait si elle devait s'en réjouir.

À mesure qu'elle s'approchait de lui, elle nota qu'une laisse noire pendait au bout de son bras, qu'elle suivit des yeux, pour apercevoir le caniche blanc. Josephine émergeait de l'un des buissons marquant la séparation avec le parking ; le collier incrusté de strass avait disparu au profit d'un modèle plus sobre, en cuir noir, assorti à la laisse.

Reconnaissant Julie, la petite chienne, avec force jappements, sautilla à sa rencontre.

– Salut, Josephine, dit la jeune femme, qui se pencha pour lui caresser le crâne.

L'animal lui lécha la main, extatique.

– Que lui avez-vous fait ? demanda-t-elle à Mac.

– Comment ça ? Oh, vous voulez parler du collier ? J'en ai acheté un neuf. L'autre était trop kitsch.

– Pas du tout ! Mac n'a aucun goût, ajouta Julie à l'intention de Josephine. Cela se voit à sa chemise. Mais ne t'inquiète pas, je te rendrai ton collier.

– Qu'est-ce qu'elle a, ma chemise ? s'enquit Mac, mi-doucereux, mi-souriant.

– Oh, rien. C'est juste qu'il faut mettre des lunettes de soleil pour la contempler sans avoir mal aux yeux.

– Elle me donne un faux-air de touriste. J'essaie de me fondre dans le paysage.

– Désolée de vous décevoir mais c'est raté, fit-elle en riant. On ne voit que vous.

Frétillante, Josephine dansait autour de la jeune femme une sorte de gigue de bienvenue.

– Elle a de la chance d'être encore en vie, après ce qu'elle m'a fait, précisa-t-il. L'autre nuit, pendant que nous nous amusions comme des fous entre votre agresseur et le service des urgences, elle a rongé les pieds du porte-serviettes dans ma salle de bains.

– La pauvre ! Elle devait s'ennuyer.

– C'est ça, prenez sa défense !

Il lui ouvrit la portière et elle s'assit sur le siège passager, Josephine sur les genoux.

– Comment ça va ? questionna-t-il en s'installant au volant.

– Mieux que je n'en ai l'air.

– Vous m'en direz tant !

D'une main affectueuse mais résolue, elle écarta légèrement la petite chienne, qui avait entrepris de lui lécher le visage.

– Alors, de quoi vouliez-vous me parler ?

– J'ai pris quelques renseignements. En ville, on raconte que ce qui vous est arrivé l'autre nuit n'est pas l'œuvre de quelqu'un d'ici. Ou bien, si cet individu est de la région, il n'appartient pas à la pègre locale.

La Blazer démarra et alla se mêler aux embouteillages de la chaussée. Une sirène de police retentissait au loin.

– Ce qui signifie... ?

– Oh, quantité de choses. Par exemple, un cambrioleur passant à la vitesse supérieure. Ou un criminel arrivé depuis peu en Caroline du Sud. Je n'ai pas encore de certitude. C'est pourquoi je souhaitais vous voir. Je voudrais la permission de fouiller votre maison.

Sidérée, elle le dévisagea. Au même instant, une Corvette bleue, bloquée à la même hauteur que la Blazer, faillit les frôler. La vitre du conducteur s'abaissa et l'automobiliste, un touriste d'un âge canonique, lança un clin d'œil égrillard à la jeune femme.

– La police a déjà procédé à une fouille, objecta-t-elle.

– Je m'en doute. Mais il faut que vous sachiez que les policiers sont débordés. Ils recherchent des criminels à longueur de journée. De plus, votre mari a insisté pour qu'on évite toute publicité autour de cette affaire. D'ailleurs, je me demande bien pourquoi.

– La réponse est on ne peut plus simple, expliqua-t-elle après une pause. C'est l'entreprise de Sid qui a construit la plupart des habitations du quartier, parmi lesquelles la nôtre. Si les gens venaient à apprendre que leurs maisons ne sont pas sûres, que n'importe quel cambrioleur peut s'y introduire en forçant une serrure, les conséquences seraient désastreuses pour le carnet de commandes. Des millions de dollars sont en jeu.

– Je comprends, émit-il sur un ton qui indiquait le contraire. En somme, l'argent compte plus que la vie humaine.

Elle hocha la tête et garda le silence. Josephine aboya, en quête de caresses. D'une main distraite, elle lui gratta les oreilles, ce qui eut pour effet de la calmer aussitôt.

– Je croyais que vous deviez plutôt enquêter sur cette histoire de Viagra ? reprit-elle, s'exhortant à changer de sujet.

– L'un n'empêche pas l'autre, sourit-il. Je suis détective à plein temps.

La jeune femme se tourna vers lui :

– Pour votre information, monsieur le détective, Sid part cet après-midi pour Atlanta. Il va y rester trois jours, en principe. Que comptez-vous faire ?

– J'étais au courant. Je voulais également vous en parler, parce que, en règle générale, les maris infidèles organisent des rendez-vous avec leurs petites amies lors de ces déplacements professionnels et que c'est là, précisément, que je peux les prendre en flagrant délit. Mais, étant donné les circonstances, je préfère ne pas m'éloigner de Charleston. Je n'aime pas l'idée de vous laisser seule dans cette grande bâtisse.

– Vous pensez qu'« il » va revenir ?

Cette éventualité l'avait déjà effleurée, ô combien, mais de l'entendre formuler par Mac lui conférait une sorte de réalité encore plus redoutable. Elle ne put s'empêcher de frissonner.

– Pas forcément, répondit-il en lui touchant la main une fraction de seconde, comme pour l'apaiser. Mais il faut vous montrer prudente. Quoi qu'il advienne, je veux être sûr que vous ne courez aucun danger. Vous avez confiance en moi ?

– Oui, dit-elle sans l'ombre d'une hésitation.

La Blazer freina et Julie constata, stupéfaite, qu'ils se trouvaient devant la demeure des DeForest, l'une des maisons les plus proches de la sienne.

– Que faites-vous ?

– Comme je vous l'ai expliqué, je voudrais effectuer une fouille. Maintenant, c'est le moment ou jamais : vos voisins ne sont pas chez eux dans la journée et Sid est sorti, j'ai vérifié. Le plus simple, ce serait que vous m'accompagniez pour me guider et, si possible, que vous m'aidiez à reconstituer dans le détail ce qui s'est passé l'autre nuit. Qu'en pensez-vous ?

Il coupa le contact et l'interrogea du regard. Tous les sens de Julie se révoltaient à la perspective de devoir revivre ce cauchemar. Mais, si Mac estimait lui aussi que le criminel risquait de recommencer, il valait mieux être raisonnable.

– Je ne vous quitterai pas d'une semelle, réitéra-t-il. Vous n'avez rien à craindre. Et puis nous avons un terrible chien de garde avec nous, n'est-ce pas, Josephine ?

Elle eut un petit rire en ouvrant sa portière. Oui, avec Mac à ses côtés, elle se sentait rassérénée. Cependant qu'elle attachait la laisse au collier du caniche, il ouvrit le coffre et alla fixer un panneau magnétique sur le côté gauche de la Blazer.

« LES PAYSAGISTES PROFESSIONNELS À VOTRE SERVICE, PELOUSES, GAZON, FLEURS ET BOSQUETS », proclamait l'annonce en lettres vert pomme, au-dessus d'un numéro de téléphone local en caractères gras.

– Qu'est-ce que c'est que ça ? Une publicité ?

– Mais non. Un trompe-l'œil. Il suffit que j'accroche cet écriteau sur ma voiture pour que les gens cessent de se poser des questions. Vous n'imaginez pas le nombre de services que cela peut me rendre au cours de la journée, dans un quartier résidentiel.

– Autrement dit, c'est l'art de se dissimuler en restant bien en évidence.

– En quelque sorte. C'est un peu le même principe que pour certaines chemises qui font mal aux yeux...

– D'accord, Mac, soupira-t-elle, vaincue. Je retire ce que j'ai dit. Vous êtes content ?

La maison ne conservait aucune trace du drame : dans le hall, on ne distinguait ni empreintes de pas, ni traînées de sang. L'équipe de nettoyage venait chaque semaine dans la matinée du mardi et du jeudi, et, comme à l'ordinaire, les pièces embaumaient l'encaustique et les produits d'entretien. Devant ces sols immaculés, ces meubles exempts du moindre grain de poussière, on ne pouvait guère remarquer qu'une atmosphère d'ordre, de propreté et de paix.

– Ça va, Julie ?

Pressant les doigts sur ses épaules, Mac l'incita à avancer dans le hall. Elle acquiesça, serrant Josephine entre ses bras, s'exhortant à respirer avec calme, mais, en dépit de ses efforts, elle se sentit la gorge sèche.

– Les femmes de ménage sont passées ce matin. Si les policiers ont manqué tel ou tel indice, il est probable que tout ait disparu.

Il étouffa un juron et considéra l'imposante cage d'escalier, la rampe de fer forgé, le dallage de marbre, le lustre de cristal : ici, chaque élément du décor était destiné à impressionner le visiteur.

– J'étais dans ma salle de bains... commença Julie avec un geste en direction du premier étage. Mac, je... je ne peux pas...

– Personne ne vous oblige à faire cela, Julie. Si vous voulez, vous pouvez rester ici, je me débrouillerai tout seul. C'est un bureau ? ajouta-t-il en lui montrant une porte de bois sur la droite.

– Oui, c'est celui de Sid, avec son ordinateur. Il travaille souvent à la maison.

– Je peux jeter un coup d'œil ?

– Bien sûr.

Déjà, il s'élançait.

– Que cherchez-vous, au juste ? s'étonna-t-elle en le rejoignant.

Mac avait entrepris d'ouvrir un à un les tiroirs, avant de s'intéresser de plus près à l'ordinateur. Il alluma et bientôt, sur l'écran, se dessina un signal indiquant que l'accès aux données était bloqué.

– Je ne le sais pas vraiment. Connaîtriez-vous le mot de passe, par hasard ?

– Non.

Il cliqua, déplaça la souris, pianota sur le clavier, cliqua encore, essaya un groupe de lettres puis un autre.

– Ah, voilà ! s'écria-t-il avec une satisfaction manifeste.

Il continua de former des signes sur le clavier pendant une dizaine de secondes.

Soudain, Julie sursauta. Elle s'apprêtait à lui demander par quel miracle il avait réussi à forcer le barrage lorsqu'un bruit fit dresser ses cheveux sur sa tête. À la même seconde, le petit caniche se raidit entre ses bras et renifla en direction de la cuisine.

Aucun risque d'erreur : quelqu'un ouvrait la porte du garage.

18

Des souvenirs terrifiants affluèrent à l'esprit de Julie tandis que Mac, sur le qui-vive, se rapprocha d'elle en deux enjambées, après avoir éteint l'ordinateur. Posant la main sur le museau de Josephine, il murmura à l'oreille de la jeune femme :

– Il faut qu'elle se tienne tranquille.

Tout comme Julie, le caniche respirait par à-coups.

– Chut...

À pas de loup, Mac entraîna Julie vers l'une des deux fenêtres du bureau, qui donnaient sur la pelouse et la piscine. Dissimulés par les replis d'un rideau, tous deux observèrent, joue contre joue, ce qui se passait au-dehors. Mac la serrait contre lui et l'enveloppait de ses bras, comme pour la protéger. Il tenait son revolver à la main. Des voix résonnèrent dans l'allée.

Deux voix. Celles d'un homme et d'une femme.

Julie se figea.

– C'est Sid, chuchota-t-elle, anéantie.

– Ne bougez pas, Julie. Pas un mot, pas un geste.

Il s'immobilisa à l'instant précis où les deux nouveaux venus pénétrèrent dans le hall, à quelques mètres d'eux. Insouciants, les intrus bavardaient à haute voix, non loin de l'escalier.

– ... tout notre temps, disait Sid, jovial.

– Je peux toujours lui raconter que je suis partie faire une course mais il faut absolument que je sois de retour à 15 heures.

La voix de la femme était jeune, pleine d'entrain. Et, pour Julie, presque aussi familière que celle de Sid.

– Si tu es tellement pressée, on peut faire ça ici, sur le tapis.

– Oh, Sid !

Petit rire haut perché. Silence. Puis, d'un peu plus loin, comme s'ils montaient les marches :

– À quelle heure est ton avion ?

– À 16 heures. Je t'adore, j'adore tes petits seins...

Le dialogue se perdit dans les hauteurs de l'escalier. Abasourdie, pétrifiée, Julie était incapable de proférer un son.

– Vite ! On s'en va d'ici, murmura Mac dans son oreille.

Il lui écarta les bras, lui prit Josephine et, la poussant doucement, il l'obligea à quitter leur cachette. Elle se laissa entraîner sans résistance, trop effondrée pour réagir, et parcourut tel un automate le chemin qui menait à la sortie : le hall, la salle à manger, la cuisine, la porte de service.

La Mercedes noire se trouvait à sa place dans le garage. La belle Mercedes que Sid conduisait avec tant de fierté, symbole de sa réussite.

– Une minute !

Elle s'écarta de Mac et, avant qu'il ait pu la retenir, elle retourna sur ses pas, courut à la cuisine et ouvrit le placard à provisions. Mac accourait vers elle que, déjà, elle ressortait de la maison, un paquet de sucre à la main.

– Mais qu'est-ce que... ?

Sans répondre, la jeune femme rentra dans le garage, s'approcha de la luxueuse limousine et, en un tournemain, dévissa le bouchon du réservoir d'essence. Ensuite, les mâchoires serrées, elle y versa ses deux kilos de sucre en poudre avec le plus grand soin, tel un chef cuisinier se livrant à quelque préparatif culinaire de haute importance.

Empêtré par Josephine, Mac ne put rien tenter pour l'en

dissuader. Il assistait, mi-consterné, mi-admiratif, à cet acte de vandalisme.

– Sid est fou de cette voiture, expliqua-t-elle avec une joie vengeresse.

Quand elle en eut terminé, elle repoussa sous le châssis quelques grains de sucre qui s'étaient répandus sur le sol, après quoi elle referma le bouchon. Elle roula en boule le sachet vide et le garda à la main. Aucune trace. Le crime parfait.

– Eh bien, il ne fait pas bon être de vos ennemis ! commenta Mac, hilare.

Dans la Blazer, il la débarrassa du sachet, qu'il jeta sur la banquette arrière, bientôt rejoint par le panneau magnétique, qu'il retira de sa portière. D'un simple coup d'œil, Julie constata que les rideaux de la chambre principale – sa chambre – étaient maintenant tirés. Elle se sentit suffoquer de colère, de rage, d'humiliation.

– C'était Amber, lâcha-t-elle entre ses dents. Il a emmené Amber dans ma chambre. Sur mon lit.

Il s'assit au volant, boucla sa ceinture.

– Qui est-ce ? demanda-t-il en allumant le contact.

Josephine, sur les genoux de la jeune femme, la fixait des yeux, perplexe, comme si elle percevait sa nervosité.

– Elle travaille à la boutique. Avec Meredith, mon autre vendeuse. Je n'arrive pas à y croire...

Elle éclata d'un rire dépourvu de gaieté.

– Pas étonnant qu'il ait besoin de Viagra, poursuivit-elle. Il faut bien qu'il se montre à la hauteur... Elle a vingt ans. L'âge que j'avais quand j'ai rencontré Sid. Elle est brune, comme moi. Et, l'an dernier, elle a remporté un concours de beauté. Il me remplace. Par elle.

– Beaucoup d'hommes agissent de cette façon, remarqua-t-il d'un ton neutre. Ils aiment un certain type de femme, et ils y reviennent encore et toujours.

– Ah bon ? Je ne suis qu'un « type » de femme ? Merci.

– Un très beau type, rassurez-vous.

Elle esquissa un faible sourire puis, la mine sombre, enchaîna :

– Je voudrais le tuer. Je voudrais lui faire le plus de mal possible.

– Si vous voulez mon avis, le sabotage de la Mercedes constitue un début encourageant, opina-t-il cérémonieusement. Vous savez, ce genre de petite voiture vaut au bas mot dans les quatre-vingt mille dollars.

– Oui ! acquiesça-t-elle, enchantée.

Néanmoins, elle se rembrunit aussitôt :

– Hélas, l'assurance va tout lui rembourser et il en achètera une neuve.

– Julie, vous êtes bouleversée, ce que je comprends, mais je tiens à souligner un détail qui vous a peut-être échappé : désormais, vous avez tous les atouts en main. Ou, pour employer une autre image, Sid vient de vous offrir sa tête sur un plateau.

Il s'inclina vers la boîte à gants, saisit son portable et composa un numéro.

– Il serait dommage de ne pas enregistrer les ébats de Sid pour la postérité.

Avant qu'elle ait pu l'interroger, Hinkle décrocha.

– Mac, où étais-tu passé ? Rawanda te cherche partout, il y a un problème de facture, et elle dit que tu ne réponds pas au téléphone.

– Oublions ça pour l'instant. Tu travailles sur le dossier Laura Simmons, je crois ? Parfait. Tu es donc à cinq minutes d'ici. J'ai besoin que tu viennes tout de suite à Summerville pour avoir le plus de documents possible, photos et magnétophone, sur un couple qui se trouve en ce moment au premier étage du 451, Magnolia Road, dans le lotissement Sutherland Estates. Tu as tout noté ?

– Oui. Qu'est-ce qui se passe ?

– Je te raconterai plus tard. Je te rappelle.

Il raccrocha et poussa le moteur à fond.

– Vous téléphoniez à votre associé ?

La sonnerie du portable ne lui laissa pas le loisir de répondre ; Mac jeta un coup d'œil sur l'écran, où s'afficha le numéro du correspondant. Il coupa la ligne.

– Oui, c'était Hinkle. Et c'est également lui qui essaie de me rappeler, pour obtenir plus d'informations, mais nous n'avons pas le temps. Il nous faut les documents maintenant. Même si Hinkle ne peut filmer que Sid et cette fille sortant ensemble de votre domicile conjugal, c'est toujours bon à prendre. Une seule photo vaut mieux qu'un million de mots, du moins devant un juge.

– Il va falloir que je renvoie Amber, réfléchit Julie. Mais pour quel motif ? Quand elle rentrera de sa pause-déjeuner, je me vois mal lui dire : « Adieu, Amber, il ne fallait pas coucher avec mon mari. » Il y a plus d'un an qu'elle travaille chez moi. Je l'aimais bien.

– Vous devriez ne pas retourner à la boutique cet après-midi, dans l'état où vous êtes.

– Je rentre chez moi, j'avale deux aspirines et j'attends demain matin pour la licencier ? Non, merci... Quand je pense que ça doit durer depuis des mois, leur petite histoire... Les innombrables retards d'Amber au magasin... Dire que je n'y ai vu que du feu ! Comment peut-on être aussi aveugle ?

– Ne vous faites pas de reproches, vous n'êtes pas coupable. Ainsi va le monde, Julie.

– Ainsi s'écroule le monde, Mac.

– C'est vrai.

Il lui adressa un sourire chaleureux qui la rasséréna quelque peu.

– Et il va falloir que j'annonce à ma mère que je vais divorcer ! s'alarma-t-elle.

– Est-ce si terrible que cela ? Votre mère est-elle si redoutable ?

– Oh, non, c'est une femme merveilleuse et nous sommes très proches l'une de l'autre. Mais mon mariage avec Sid représente beaucoup à ses yeux. C'est un peu comme si elle avait décroché le gros lot, par mon intermédiaire... Elle ne va pas s'en remettre. Et je ne parle pas de ma sœur... Son mari travaille chez Sid. Quand je divorcerai, il perdra son emploi, sans doute. Alors, que vont-ils devenir, tous autant qu'ils sont ? Et mes nièces...

– Allons, la situation ne peut pas être aussi épouvantable...

– Je crains que si.

Elle serra les poings, le regard perdu dans le vague.

– Pourquoi Sid m'a-t-il fait une chose pareille ? Je pensais que nous étions mariés pour la vie. J'étais si heureuse...

Elle ne put achever. Mac lui lança un regard insondable.

– Vous serez heureuse, Julie, avec quelqu'un d'autre. Ce qui vous arrive n'est qu'un accident de parcours, ce n'est pas la fin du monde.

– Qu'en savez-vous, d'abord ? Vous avez déjà été marié ?

– Oui, il y a longtemps. J'ai divorcé voilà près de six ans.

– Que s'est-il passé ?

– Lorsqu'on m'a radié de la police, ma femme a estimé qu'elle ne pouvait plus vivre avec un homme qui pointait au chômage et ne pouvait plus régler les factures. Elle m'a quitté... C'était le meilleur service qu'elle pouvait me rendre, mais à l'époque je l'ignorais, conclut-il avec une gaieté qui sonnait faux.

– Elle devait être folle !

Il garda une expression indéchiffrable mais, de sa large paume, il lui pressa la main.

– C'est drôle, fit-il, je me disais exactement la même chose à propos de Sid.

Julie eut l'impression que son cœur manquait un battement.

Elle commençait à envisager la situation d'une manière différente, à présent qu'elle savait de quoi il retournait. Sid l'avait trompée, certes, il l'avait trahie, mais en même temps il lui rendait sa liberté.

– Quels sont vos projets pour cet après-midi ? demanda-t-elle.

Les intonations étaient polies, presque banales, et pourtant Mac crut y déceler quelque chose d'anormal.

– Rien de précis, répondit-il. Pourquoi ?

La jeune femme eut un sourire triomphant.

– Parce que je veux que vous m'emmeniez dans un endroit où je pourrai enlever mes vêtements et que vous me fassiez l'amour jusqu'à ce que mort s'ensuive.

19

– Quoi ?

Mac n'en croyait pas ses oreilles. Autant il avait désiré entendre cette phrase, autant il se trouvait pris au dépourvu maintenant que Julie l'avait prononcée.

– Vous ne mesurez pas la portée de vos paroles, répondit-il d'une voix blanche.

– Oh, que si ! Je veux que vous m'emmeniez dans un endroit où je pourrai enlever mes vêtements et que vous me fassiez l'amour jusqu'à...

– Inutile de répéter, j'avais saisi l'idée générale.

Sous le choc, il avait failli déraper ; il avait senti le gravier du bas-côté sous ses pneus et n'avait pu rétablir sa trajectoire que de justesse.

– Alors, vous êtes d'accord ?

D'instinct, il aurait voulu accepter. En réalité, il ne s'agissait pas d'un acquiescement, à proprement parler : Julie ne faisait que formuler tout haut ce qu'il attendait. Mais d'autres considérations entraient en jeu, à commencer par le rôle de Sid, réel ou supposé, dans la disparition de Daniel. Et aujourd'hui, enfin, il tenait un début de piste.

Il était parvenu à forcer l'entrée des fichiers d'All-American Builders dans l'ordinateur de Sid. Pour lui, cela n'avait été qu'un jeu d'enfant : en guise de mot de passe, Sid n'avait rien trouvé de mieux que d'utiliser le mot « Vader », en souvenir du Darth Vader de *La Guerre des étoiles*. Adolescent, Sid employait déjà ce nom, un peu à la manière d'un sobriquet ou d'un pseudonyme ; il l'avait fait graver sur la plaque d'immatriculation de sa splendide Porsche noire, ce qui n'avait pas manqué d'impressionner le jeune Mac.

Sans doute peu de gens savaient-ils qu'en son temps Sid Carlson avait été un fan de *La Guerre des étoiles*, tout comme Daniel – et tout comme Mac.

Et cela lui était revenu au visage tel un boomerang.

Dès qu'il avait ouvert les fichiers, Mac s'était connecté sur son propre terminal d'ordinateur afin de télécharger ce qui l'intéressait. En tout, l'opération lui avait demandé moins d'une minute. Dans la soirée, une fois de retour chez lui, il pourrait enfin consulter les informations qu'il venait de pirater.

Certes, « faire l'amour jusqu'à ce que mort s'ensuive » avec Julie Carlson aurait constitué une belle revanche sur celui qu'il surnommait « Richie ». L'inconvénient était qu'il ne voulait pas la femme de Sid. Il voulait Julie. La sublime, la merveilleuse Julie. Julie la tentatrice. Julie l'enchanteresse. Julie la femme de ses rêves.

Pas Julie Carlson. Seulement Julie.

Voilà qui compliquait tout pour lui qui, depuis quinze ans, ne poursuivait qu'un but : découvrir ce qu'il était advenu de son frère.

– Alors ?

Il sursauta, perdu dans ses pensées. Elle agita les doigts à son côté, sans les claquer, comme un hypnotiseur qui ramène peu à peu son patient à un état de conscience.

– Julie, rétorqua-t-il avec une froideur étudiée, il faudrait que vous vous rendiez compte d'une chose : ce que vous me proposez relève d'un pur et simple désir de vengeance. Et, croyez-moi, ce genre d'impulsion conduit toujours au désastre. Si je vous disais oui, demain matin vous le regretteriez amèrement.

– Jamais de la vie ! protesta-t-elle, stupéfiée par ce changement d'attitude. Et puis, de toute façon, je suis assez grande pour savoir ce que je veux, non ?

– Pas dans les circonstances présentes.

Cette fois, elle en resta sans voix. Elle croisa les bras, ferma les paupières. Le silence s'installa. Soudain, Mac s'aperçut qu'il avait emprunté l'autoroute dans la mauvaise direction et se trouvait déjà à mi-chemin de Charleston. Il était en train de prendre le chemin de sa propre maison. Pour un acte manqué, c'était un acte manqué.

– Vous ne voulez pas ? dit-elle enfin. Très bien !

Il chercha désespérément un terrain neutre – au sens propre comme au sens figuré.

– Et si nous quittions l'autoroute pour aller marcher un peu ? proposa-t-il. J'ai envie de me promener. De parler.

Dans un endroit public, surtout, avec un maximum de passants. Ne pas rester seul avec elle. Sinon, il ne répondait de rien.

– Vous plaisantez ? Si vous voulez jouer les psychanalystes, allez-y, mais ce sera sans moi. Oubliez ce que je vous ai dit, d'accord ? Reconduisez-moi à ma boutique, c'est tout ce que je vous demande.

Mal à l'aise, il se retrancha dans le silence.

– Vous avez entendu ? Ramenez-moi à la boutique !

– Julie...

– Il n'y a pas de « Julie » qui tienne. Ramenez-moi là-bas. Tout de suite.

La jeune femme était au bord des larmes et elle s'imaginait sans doute qu'il ne l'avait pas remarqué.

– On ne peut pas faire demi-tour sur l'autoroute, plaida-t-il faute de mieux.

– Et alors ? Je m'en moque ! Effectuez un virage à cent quatre-vingts degrés s'il le faut, roulez à contresens si vous voulez, foncez à tombeau ouvert, ça m'est égal, mais reconduisez-moi au magasin !

– Julie, c'est impossible, laissez-moi deux minutes, que je trouve une bretelle de sortie...

– Je me fiche de vos bretelles ! explosa-t-elle. C'est moi qui paye, c'est moi qui décide, et vous, vous obéissez !

Cette colère d'enfant gâtée ne lui ressemblait pas mais Mac n'en devinait que trop bien la raison, et il se haïssait de la faire souffrir.

Ils approchaient de la sortie qu'il prenait toujours pour rentrer chez lui. Au fond, pourquoi pas ? De toute façon, il fallait s'arrêter au plus vite ; la jeune femme était au bord de la crise de nerfs.

Il suivit le flot de la circulation vers le boulevard et se retrouva prisonnier d'un embouteillage au carrefour de la Batterie. Pare-chocs contre pare-chocs, les véhicules s'étaient immobilisés dans la canicule. Il régnait une chaleur de fournaise dans la Blazer

Lorsqu'il entendit le déclic, Mac crut d'abord que la jeune femme venait de baisser sa vitre pour avoir un peu d'air, quitte à inhaler les effluves des pots d'échappement.

Mais non.

Julie venait tout simplement d'ouvrir sa portière et de lui fausser compagnie.

Il renonça à se frayer un chemin au milieu des dizaines d'automobiles qui s'étaient agglutinées au milieu du carrefour et sortit de la Blazer, non sans claquer sa portière derrière lui. Sur le siège passager, Josephine le fixa, interloquée.

Devant Mac, à une vingtaine de mètres, Julie avait atteint le trottoir. Il lui emboîta le pas et, fendant la foule des passants, la rattrapa par le bras au moment où elle allait s'esquiver par une petite rue.

Quand il la força à se retourner vers lui, il vit que ses joues ruisselaient de larmes.

Alors Mac l'enlaça et, la serrant très fort contre lui, il l'embrassa.

20

Le concert d'avertisseurs, au carrefour, parvenait peu à peu à la conscience de Julie pendant que, dans les bras de Mac, elle lui rendait son baiser avec fougue. Avant qu'elle eût perçu ce qui se passait sur la chaussée, il lui saisit le menton, l'obligeant à lever le visage vers lui.

– Mon Dieu ! s'exclama-t-il.

Les beaux yeux bleus la scrutaient, emplis d'une émotion qu'elle n'aurait su définir. De nouveau, il l'attira contre lui. Elle passa les mains autour dc son cou et, soudain, elle oublia la cause de ses larmes.

Les rayons du soleil frappaient de plein fouet les vitrines des magasins autour d'eux ainsi que les toits des véhicules surchauffés qui patientaient toujours, bloqués sur les deux côtés de l'avenue. L'air était lourd, peut-être porteur d'orage.

Mac était fort, solide. Il était celui qu'elle attendait.

– Pardon, murmura-t-il, la bouche enfouie dans les longs cheveux bruns. Tout ce que j'ai dit, je le retire. Je ne voulais pas vous bouleverser, encore moins vous blesser.

Il s'interrompit, regarda autour de lui puis ajouta, presque timide :

– Vous voulez bien revenir à la voiture ?

Julie se souvint tout à coup : les klaxons, l'embouteillage. Pour la suivre, Mac avait dû abandonner la Blazer au beau milieu du carrefour.

Sans lui laisser le choix, il s'écarta d'elle, la prit par la taille et, bras dessus bras dessous, ils coururent vers la voiture. La jeune femme s'essuya les joues du revers de la main, tout en s'efforçant de régler son allure sur celle de Mac. Elle avait l'impression de voler plutôt que de courir.

– Madame, avez-vous besoin d'aide ?

Un homme d'affaires encore jeune venait de l'interpeller, déterminé à la secourir, et il est vrai que l'apparence de Julie pouvait prêter à confusion : un bleu sur la tempe, un autre sur la gorge, tous deux dissimulés tant bien que mal, et, pour comble, une cavalcade éperdue au côté d'un grand gaillard de près de deux mètres... N'importe qui aurait cru à un cas de maltraitance conjugale.

Le quiproquo lui arracha un sourire :

– Non, merci, tout va bien, monsieur.

Elle agita la main dans sa direction, puis, toujours entraînée par Mac, finit par atteindre la Blazer. La circulation s'était quelque peu éclaircie de ce côté de l'avenue – et la voiture faisait justement obstacle à un monospace qui tentait de se dégager du labyrinthe. Plusieurs conducteurs klaxonnèrent à leur intention, sans agressivité mais avec une impatience évidente, quand tous deux s'engouffrèrent enfin dans le véhicule. Mac les ignora. Quant à Julie, elle agita de nouveau la main, à tout hasard.

Seule une grosse dame, dans une minuscule Volkswagen blanche, se permit une réflexion.

– Vous êtes fous d'abandonner un pauvre petit chien dans une voiture, par une chaleur pareille ? se récria-t-elle, scandalisée.

Mac émit un grognement et s'abstint de répliquer. Tandis qu'il remettait le moteur en marche, Julie entreprit de caresser Josephine afin d'implorer son pardon, encore que, selon toute apparence, le caniche n'eût pas trop souffert de la canicule.

Le feu passa au vert. Dans le sillage du monospace, une

fourgonnette opéra une échappée sur la gauche et Mac se rua aussitôt à sa suite.

Parvenu dans une rue plus calme, il se tourna brièvement vers la jeune femme :

– Peut-on savoir pourquoi vous avez pleuré ?

Il s'en doutait mais il voulait l'entendre de sa bouche. Cependant, elle préféra biaiser :

– À cause de mon divorce. Et puis j'ai bien le droit de pleurer si je veux...

– En effet.

– Puisque nous en sommes au jeu des questions, pour quelle raison m'avez-vous embrassée ?

– À votre avis ?

La Blazer s'engagea dans un dédale de rues résidentielles dont les habitations n'offraient rien de commun avec celle de Julie ; elles étaient plus anciennes, plus exiguës également, et souvent pourvues d'un jardinet ombragé par un unique palmier. La jeune femme reconnut l'endroit au moment où Mac freina.

Il l'emmenait chez lui.

La vie devenait plus attrayante, soudain.

Josephine frétilla et, ravie de se retrouver en terrain de connaissance, se mit à japper.

Dès que Mac eut ouvert la portière, le caniche se précipita sur le trottoir.

– Elle n'a pas sa laisse, s'alarma Julie.

– Josephine a ses défauts, on ne saurait le nier, mais elle n'est pas idiote. Elle ne va pas s'enfuir.

Il introduisit sa clé dans la serrure et poussa la porte de bois.

– Est-ce une fine allusion à mon départ, tout à l'heure ? questionna Julie, soupçonneuse.

– Vous avez quasiment causé une émeute.

– Moi ? C'est un peu fort ! Qui a abandonné sa voiture en plein milieu du carrefour ?

– D'accord, mais pour rattraper qui ?

– J'aurais très bien pu me débrouiller toute seule, se défendit-elle. Monter dans un taxi, par exemple. Qui, lui, m'aurait conduite chez Carolina Belle.

– Je n'en crois pas un traître mot, sourit-il.

Elle cherchait une repartie bien sentie lorsqu'une voix féminine et néanmoins tonitruante se fit entendre depuis le trottoir d'en face :

– Mac ! Mon petit Mac ! Tu n'aurais pas aperçu mon Gus, par hasard ?

Pivotant sur ses talons, Julie avisa une petite dame toute menue, vêtue d'une robe à fleurs, qui devait avoir dans les soixante-quinze ans. Elle paraissait être l'incarnation même de la fragilité. Avec une voix pareille, Julie se serait plutôt attendue à voir une créature au gabarit de chanteuse d'opéra.

– Non, madame Leiferman, répondit Mac d'un ton chargé de respect.

– Tu te tends compte ? Je l'envoie vider la poubelle et il prend la poudre d'escampette ! Combien tu paries qu'il s'est encore faufilé dans l'allée de derrière avec ses maudites cigarettes, comme si je ne savais pas qu'il fume en cachette ?

– Oh, cela n'aurait rien de surprenant, acquiesça Mac tout en poussant Julie vers l'intérieur de la maison. À bientôt, madame Leiferman. Mes amitiés à Gus.

La vieille dame le salua d'un signe de la main et partit mener son enquête au coin de la rue. Au même instant, Josephine, de retour de son escapade, fit irruption dans le vestibule et fila vers la cuisine.

– C'est une amie de ma grand-mère mais c'est aussi la pire commère de Charleston, expliqua Mac à mi-voix, en refermant le battant derrière eux. Elle a dû mettre le nez dehors rien que pour voir quelle tête vous avez. La prochaine fois que j'irai voir mamie, je suis sûr que j'aurai droit à un compte rendu détaillé.

– Les voisins servent d'espions à votre grand-mère, d'habitude ? s'amusa-t-elle.

L'idée était pittoresque.

– En quelque sorte. Mamie habitait ici, autrefois, et c'étaient donc ses voisins. Je lui ai racheté la maison il y a cinq ans, après mon divorce, quand elle est allée s'installer chez sa sœur. Je n'ai pas fait grand-chose comme travaux. J'ai juste enlevé un peu de bric-à-brac. Et puis ma tante Rose a vendu sa maison voilà plusieurs semaines. Elle et mamie ont emménagé dans la même maison de retraite et je me suis retrouvé propriétaire d'un caniche. Bien sûr, les voisins vont rendre visite à mamie.

– C'est une histoire charmante.

La jeune femme se souvenait fort bien du salon, qui n'avait pas changé, excepté sur deux points. D'abord, en raison du soleil, les rideaux étaient tirés. Ensuite, les journaux et magazines ne jonchaient plus les sièges ni la table basse. Mac avait dû les ranger à l'abri des crocs de Joséphine.

Il laissa ses lunettes noires sur une table, sortit son revolver de son étui et le posa à côté. Il s'approcha de Julie et l'enlaça sans un mot, puis, dans un lent mouvement de va-et-vient, il lui caressa les seins.

– Vous avez obtenu ce que vous vouliez, murmura-t-il dans ses cheveux. Nous sommes seuls. Si vous êtes toujours décidée, je suis prêt...

Elle noua les bras autour de sa nuque et s'appuya de tout son corps contre ses larges épaules, lui effleurant les lèvres d'un baiser léger.

– Alors je vais pouvoir ôter mes vêtements, chuchota-t-elle.

Leurs regards se rivèrent l'un à l'autre.

Les yeux bleus brillèrent d'un éclat incandescent tandis que les mains de Mac descendaient plus bas, s'attardaient sur les hanches. Julie resserra encore son étreinte.

– Julie, fit-il d'une voix rauque.

Ils vacillèrent ensemble, en une danse au ralenti. Jamais la jeune femme ne s'était sentie aussi bien. En plus de l'attirance physique qu'il lui inspirait, elle percevait chez lui une tendresse, un instinct de protection qui avaient le don de la rassurer.

Mac était le seul homme qu'elle eût envie d'embrasser. Et elle l'embrassa. Sa langue s'immisça entre les lèvres fermes, goûtant chaque plaisir, savourant chaque délice. Puis, subitement, les doigts de Mac se crispèrent sur sa taille, presque jusqu'à lui faire mal, et ce fut lui qui l'embrassa, dans un élan violent.

Lorsqu'ils se détachèrent enfin l'un de l'autre, elle était hors d'haleine.

– Mac, faites-moi l'amour.

Dans la pénombre du salon, les prunelles bleues, dilatées, semblaient presque noires. La jeune femme sentait son souffle chaud contre sa peau. Elle ferma les paupières.

– Julie...

Ses genoux se dérobèrent. Il la contempla un moment sans parler. Puis leurs hanches se trouvèrent et elle cessa de penser.

– Julie, vous pouvez encore changer d'avis...

– Oh, non...

Il la plaqua contre lui et elle frissonna de tout son être. Lui écartant les mains, il déposa un baiser au creux de ses paumes, l'une après l'autre.

Ensuite, elle s'éloigna de lui afin de déboutonner sa robe. L'étoffe soyeuse glissa sur le sol avec un bruissement. Julie secoua la tête et les longs cheveux noirs cascadèrent sur la courbe des épaules nues. Le collier de perles projetait un reflet nacré sur sa peau bronzée. Le regard de Mac s'appesantit sur les seins ronds et fermes, sur le soutien-gorge rose pâle. Julie portait un string assorti dont le tissu était si fin qu'il voilait plutôt qu'il ne dissimulait le triangle brun de son sexe.

La bouche sèche, elle s'humecta les lèvres du bout de la

langue, en proie à une faim qui avait quelque chose de délicieux.

Lorsque Mac reprit la parole, ce fut pour lui murmurer :

– Vous êtes, de toute ma vie, ce que j'ai vu de plus beau...

La couvrant de baisers, il la souleva dans ses bras et la porta dans sa chambre.

21

À l'instar du reste de la maison, la chambre de Mac était plongée dans la pénombre. La climatisation diffusait une fraîcheur douce. Il déposa la jeune femme sur le lit en repoussant un couvre-lit de patchwork. Les draps blancs sentaient un mélange de lessive et d'adoucissant.

Allongée sur le dos, Julie se cambra.

– Mac...

– Julie...

L'intensité de l'instant présent leur interdisait de parler. Mac s'assit à côté d'elle, dégrafa le soutien-gorge et, d'une langue experte, commença à dessiner des cercles autour des aréoles de ses seins. Elle se sentit défaillir. Puis il les saisit dans ses paumes, comme dans une coupe, avant de les embrasser longuement.

– Enlevez votre chemise, Mac, lui enjoignit-elle d'une voix entrecoupée.

Lorsqu'il fut torse nu, il s'étendit contre son flanc. Haletant, il acheva de se déshabiller en la fixant droit dans les yeux. Soudain, elle lui saisit la tête à deux mains et enfouit les doigts dans la masse de ses cheveux blond cendré cependant qu'il basculait sur elle. Aussitôt, elle se mit à se mouvoir en cadence. Le souffle court, il vint se placer entre ses jambes et, d'instinct, elle s'arqua vers lui.

Il partit à la découverte de son corps, explora délicatement ce qu'elle lui offrait, les yeux fermés, alanguie. Des vagues irrésistibles la soulevaient, l'emportaient, elle se sentait s'envoler vers l'horizon, vers la lumière...

La jeune femme ne put réprimer un cri lorsqu'il la pénétra et que leurs corps se balancèrent en rythme, dans un ouragan où elle perdit la notion du temps et de l'espace. Elle voguait sur un océan où elle n'entendait que ses propres gémissements, étouffés par l'ardeur des baisers de l'homme qu'elle aimait. Enfin, les vagues l'engloutirent dans leur ressac et elle s'abandonna telle une naufragée.

Les paupières closes, elle reposait sur le lit, éperdue de bonheur. Mac demeurait allongé à son côté, immobile. Elle rouvrit les yeux et se demanda s'il dormait.

Avec un soupir, elle se remémora ce qu'il lui avait prédit – qu'elle le désirait pour se venger de Sid, qu'elle regretterait de s'être donnée à lui.

Désormais, elle savait avec certitude que c'était faux.

Il s'étira, pencha la tête et la regarda.

– Alors, c'était bon ? questionna-t-il avec une ironie qui la désarçonna.

– Oui, très bon, merci, lâcha-t-elle, de plus en plus sidérée.

Les pupilles de Mac se rétrécirent.

– Et vous en êtes à la phase « remords du lendemain matin », je suppose ?

22

Comment pouvait-il se tromper à ce point ? N'avait-il pas compris que la jeune femme lui avait tout donné, qu'elle ne jouait pas avec lui et que l'idée de se venger de son mari, à cet instant présent, était le cadet de ses soucis ?

– Je n'éprouve pas l'ombre d'un remords et ce n'est pas le matin, rétorqua-t-elle.

Il se retrancha dans un silence dubitatif. Avant qu'elle ait pu poursuivre, il sortit du lit et entreprit de se rhabiller, non sans consulter le radio-réveil de sa table de chevet. Interloquée, elle le dévisagea.

– En tout cas, dit-il, il est 16 h 30.

– Oh, non ! Mon rendez-vous avec Carlene Squabb !

– Je croyais que nous nous étions mis d'accord. Vous ne comptiez pas retourner à la boutique aujourd'hui.

Elle hésita. Il la fixait d'un air tellement indifférent que, renonçant à se poser des questions, elle se décida en une seconde :

– Est-ce que je peux prendre une douche ?

– Bien sûr.

Il l'emmena à la salle de bains et, d'un geste large, lui ouvrit le placard aux serviettes.

– Faites comme chez vous.

Le ton était froid.

Dans le salon, le téléphone sonna mais Mac n'alla pas décrocher. Il n'avait pas envie de parler à quiconque pour le moment.

Le bruit de la douche l'accompagna tandis qu'il se rendait à la cuisine afin de vérifier ce que manigançait Josephine. La sonnerie s'interrompit.

Le caniche ne se trouvant pas à la cuisine, il continua sa tournée d'inspection par le salon. Triomphante, la petite chienne s'était vautrée sur le canapé, le fil du téléphone entre les crocs. Elle l'avait sectionné. Le récepteur gisait sur le tapis, tel un poisson rouge hors de son aquarium.

– Bon sang, Josephine !

Le caniche bondit sur ses pattes et, dans l'espoir d'éviter toute réprimande, fonça à la vitesse de l'éclair en direction de la cuisine. Atterré, Mac souleva le récepteur, guetta une tonalité. Peine perdue. Son téléphone fixe était bel et bien mort.

Par chance, il lui restait son portable.

Quand on frappa à la porte d'entrée, Mac réfléchit à une formule de politesse apte à éconduire Mme Leiferman sans la vexer. Il ne tenait pas à se brouiller avec l'une des amies de sa grand-mère ; les conséquences diplomatiques en auraient été incommensurables.

Il appuya sur le loquet en calculant que Julie et lui se trouvaient là depuis environ une heure. S'il fallait désormais alimenter l'insatiable curiosité de sa voisine toutes les heures, l'avenir ne s'annonçait pas sous un jour radieux.

Contre toute attente, ce ne fut pas la frêle silhouette de la vieille dame qui surgit devant ses yeux, mais celle de Hinkle, et, voyant l'expression de son associé, il se dit qu'il n'avait pas gagné au change.

– Mais qu'est-ce que tu fabriques, bon sang ? hurla Hinkle en s'engouffrant dans le vestibule. Tu es malade ou quoi ?

– Bonjour quand même, répliqua Mac, imperturbable, avant de refermer la porte avec résignation.

Hinkle déboula dans le salon comme un fou furieux, avisa le téléphone à terre et haussa les épaules. Il se laissa choir sur le canapé, pour se relever aussitôt, trop énervé pour rester en place.

– Tu veux une bière ? proposa Mac en guise de calumet de la paix.

– Non, je ne veux pas de bière, je veux juste que tu m'écoutes ! tempêta son associé. C'est Sid Carlson que tu m'as envoyé surveiller ! Sid Carlson, excusez du peu ! Et, naturellement, ça, tu t'étais bien gardé de me le dire ! Quand je m'en suis rendu compte, j'ai cru que je rêvais... ou plutôt, non, j'ai cru que je nageais en plein cauchemar. J'ai essayé de te rappeler mais, bien entendu, tu n'as pas daigné décrocher. Alors je te pose la question, Mac : à quoi tu joues ?

Pour toute réponse, Mac lui demanda :

– Tu as pu prendre des photos ?

– Si j'ai pu... Mais peu importe, bon sang ! Oui, je les ai, tes photos, mais ni toi ni moi on ne va les utiliser. Enfin, tu te rappelles la dernière fois qu'on a essayé de coincer Carlson ? Tu veux remettre ça ? Tu veux recommencer à le traquer, pour finir droit dans le mur, comme il y a six ans ? Et m'entraîner avec toi, par la même occasion ? Il n'en est pas question, mon vieux. Tu fais ce que tu veux, mais sans moi. Je refuse d'être mêlé à ça. Je refuse de plonger une deuxième fois.

Il s'arrêta, à bout de souffle, et finit par s'affaler dans un fauteuil. Soudain, il ouvrit grand les yeux, fixant un point derrière Mac, qui pressentit le désastre.

En effet, Julie se tenait sur le seuil de la pièce, sans doute alertée par les éclats de voix. Pieds nus, elle avait revêtu le peignoir de bain de Mac, beaucoup trop grand pour elle. Ses longs cheveux encore mouillés étaient ramenés en torsade sur le sommet de sa tête.

– Je vous présente George Hinkle, mon associé, lui dit-il sans autre précision.

Il lui paraissait dangereux, étant donné les circonstances,

de révéler l'identité de la jeune femme à Hinkle. Aussi se contenta-t-il de se racler la gorge en priant pour que Julie regagne la salle de bains au plus vite.

Hélas, Hinkle, bouche bée, considéra un long moment la jeune femme avant d'articuler :

– Je vous connais de vue... Vous êtes Julie Carlson.

– Oui.

– Julie est une cliente, s'empressa d'indiquer Mac de son air le plus professionnel.

Il n'entretenait pas d'illusions. Rares étaient les clients qui sortaient à moitié nus de sa salle de bains.

– Nom d'un chien ! jura Hinkle en tournant vers lui un regard incrédule. Sauf votre respect, madame.

Ce fut à cette seconde qu'il remarqua la robe bleu ciel oubliée sur le tapis. Julie la vit à son tour et, très digne, se baissa pour la ramasser, après quoi elle s'adressa à Hinkle de son ton le plus mondain :

– Vous étiez devant chez moi, tout à l'heure, si je ne m'abuse. J'ai entendu Mac vous parler au téléphone. Avez-vous pu photographier mon mari en compagnie de sa maîtresse ?

Hinkle déglutit avec difficulté.

– Eh bien... à vrai dire...

Il foudroya Mac du regard :

– On peut discuter deux minutes en privé ?

– Inutile, répondit Mac. Oui, nous avons les photos, ajouta-t-il à l'intention de la jeune femme.

– C'est parfait. Bon. Je vais me rhabiller. Je suis ravie de vous avoir rencontré, monsieur Hinkle.

– Moi de même, euh... madame Carlson.

Elle quitta la pièce et, quelques secondes plus tard, les deux hommes entendirent se fermer la porte de la chambre.

Au bord de l'apoplexie, Hinkle interpella son coéquipier :

– Mais qu'est-ce que tu as dans le crâne, Mac ? Tu es fou ? Tu couches avec la femme de Sid Carlson, maintenant ?

Il n'aurait servi à rien d'essayer de le nier. Mac mit les mains dans les poches de son jean et tenta de se justifier :

– Je viens de te l'expliquer, Julie est une cliente. Elle m'a engagé... enfin, elle nous a engagés... pour savoir si son mari la trompait. Et c'est le cas, comme tu l'as constaté.

– Tu couches avec elle ! répéta Hinkle, hors de lui. Et elle ne « nous » a pas engagés, Mac. C'est ton affaire, pas la mienne.

– Très bien. Alors, disons que Julie est une cliente personnelle. Ça te convient ?

– Non, pas du tout, figure-toi ! Qu'elle soit ta cliente, et pas celle de l'agence, ça intéresse qui, à ton avis ? Tu t'imagines que Carlson sera sensible à ce genre de nuance quand il découvrira le pot aux roses ? C'est-à-dire, pour te mettre les points sur les i : quand il découvrira, et d'une, qu'on l'espionne, et de deux, que tu te tapes sa femme... Il va nous tomber dessus à bras raccourcis, et pas seulement sur toi, Mac. Sur moi aussi.

Rien de ce qu'affirmait son associé n'était faux, songea Mac. En réalité, il avait raison sur tous les points. Du temps que Hinkle et lui travaillaient dans la police, ils s'étaient confrontés à Sid Carlson sans se douter de ce qui les attendait. Carlson était une pieuvre, et cette pieuvre les avait saisis l'un et l'autre dans ses tentacules afin de mieux les broyer.

Ils avaient mené une enquête sur un adversaire trop fort pour eux et s'étaient retrouvés compromis dans une affaire de recel de stupéfiants qui n'était qu'un montage orchestré par Carlson. Pris au piège, ils n'avaient pu se défendre.

Une fois mis à pied, le deux anciens policiers étaient retournés à la vie civile, fondant leur agence de détectives privés.

L'affaire avait marché tant bien que mal jusqu'au moment où ils avaient commencé à gagner un peu d'argent, l'année précédente. Hinkle, là encore, raisonnait juste : à quoi bon livrer contre Sid Carlson une bataille perdue d'avance, surtout si c'était pour voir le résultat de tant d'années d'efforts et de patience s'effondrer comme un château de cartes ? Mac le savait, lui aussi : Carlson allait tout tenter pour les briser.

– En ce qui me concerne, il est trop tard pour reculer, répondit-il néanmoins. Je suis trop près du but... et peut-être de la chute, je m'en doute. Moi, je continue, quoi qu'il advienne. Mais, de ton côté, si tu estimes plus prudent de quitter l'agence avant que les choses tournent au désastre, je le comprendrai très bien. Nous pourrons nous arranger avec la banque.

– Je ne te lâcherai pas, grommela Hinkle. Mais je te demande de réfléchir. Une dernière fois, laisse tomber cette histoire.

Mac allait répondre quand, d'un regard, son associé lui intima le silence : Julie Carlson venait de rentrer dans le salon.

– Je ne voudrais pas vous déranger, fit-elle, impassible.

Brusquement, Mac songea qu'elle avait dû surprendre leur conversation, au moins en partie.

– Je vais appeler un taxi, enchaîna-t-elle. Il faut que je retourne à mon travail.

– Non, je vous raccompagne.

Mac attrapa ses lunettes noires, son revolver et ses clés. Se tournant vers Hinkle, il conclut :

– Il faut qu'on reparle de tout ça. Je te rappelle.

– J'y compte bien ! s'écria son associé en se dirigeant vers le vestibule.

Puisque tout le monde semblait sur le départ, Josephine fit son apparition dans le couloir, avec l'intention évidente de ne pas rester seule.

– Nous l'emmenons ? demanda Julie.

– Non. Si. Après tout, elle causera moins de dégâts dans la voiture que dans la maison.

Déjà, la petite chienne s'agitait aux pieds de la jeune femme pour qu'elle la prenne dans ses bras.

Hinkle s'effaça devant elle et lui tint la porte :

– Au revoir, madame Carlson... Je vais au bureau, dit-il à Mac.

Après un dernier regard, lourd de reproches, Hinkle s'éloigna pendant que Mac et Julie montaient dans la Blazer.

La jeune femme ne prononça pas une parole avant que son compagnon eût démarré. Puis, quand ils débouchèrent dans l'avenue, elle lança à brûle-pourpoint :

– Et maintenant, vous allez tout m'expliquer.

23

Sous ce soleil de plomb, il était héroïque de rester en faction dans une voiture surchauffée. Roger Basta sentait une douleur croissante lui marteler le crâne. Mais le Big Boss avait dit que c'était aujourd'hui sa dernière chance de régler son compte à Julie Carlson. En cas de problème, Basta n'aurait pas droit à une session de rattrapage. Or on tenait toujours sa promesse quand il s'agissait du patron. Ceux qui y avaient manqué n'étaient plus là pour raconter leurs impressions.

Le tueur à gages guettait sa proie, attendant qu'elle veuille bien sortir de sa satanée boutique de vêtements. Alors il pourrait enfin en finir avec elle. Plus de plans compliqués. Plus de précautions pour les indices. Tant pis pour l'ADN. « Faire simple, aller droit au but », telle était dorénavant sa devise. Quand il en aurait terminé, il reprendrait enfin une vie normale.

Du moins jusqu'à un nouvel appel du Big Boss.

Il était temps, peut-être, de songer à une retraite bien méritée. Roger Basta avait cinquante-cinq ans, il n'était pas vieux, mais il devenait trop âgé pour ce type de travail. Il se fatiguait. Il avait peur, à la longue.

Julie Carlson représentait le tout premier échec de sa carrière, ce qui l'incitait à douter de ses propres capacités. Ce qui incitait le Big Boss à douter de lui.

S'il existait une chose que lui avait enseignée l'expérience, c'était bien celle-ci : on ne décevait pas le patron. On lui obéissait. Dans le cas contraire, on n'avait guère le temps de s'en repentir.

Pour la première fois, l'idée l'effleura que ses rêves de retraite dorée ne correspondaient pas forcément à la réalité et qu'il se pouvait fort bien qu'il abandonne le métier plus vite que prévu, les pieds devant. Basta connaissait trop de secrets. Entre autres, il savait où étaient enterrés les cadavres. Au sens le plus littéral.

Tout bien considéré, le Big Boss n'avait peut-être pas intérêt à le laisser disparaître dans la nature.

Maudite Julie Carlson. Au début, Basta ne lui voulait aucun mal en particulier ; il ne s'agissait que d'un contrat. Mais, à présent, c'était plus que cela. D'abord, elle lui avait laissé une cicatrice, ce qui ne s'était pas produit souvent, par le passé. Ensuite, elle l'amenait à paraître moins compétent, y compris à ses propres yeux. Et cela, c'était mauvais pour son image. Et donc très dangereux.

Dès qu'elle mettrait le pied hors du magasin, il l'abattrait sans autre forme de procès. En moins de trois minutes, tout serait terminé.

Il devait bien faire dans les quarante degrés à l'intérieur de la voiture. Une fournaise. Basta avait volé une automobile aux vitres teintées, afin de ne pas être vu de l'extérieur. S'il mettait le moteur en marche pour enclencher la climatisation, il risquerait d'attirer l'attention. Aussi y renonça-t-il, à son corps défendant. Lorsqu'on reste aux aguets dans une voiture en stationnement, surtout avec des idées de meurtre dans la tête, mieux vaut éviter de se faire remarquer.

Basta consulta sa montre. Il était près de 17 heures. Le soleil commençait à décliner à l'horizon, pas assez vite à son gré. Les rayons traversaient le pare-brise, l'aveuglant à demi, le menaçant d'insolation. Il avait faim, la canicule lui donnait la migraine, et il avait fini sa canette de bière. Dans quelques minutes, il mourrait de soif. Pour tout arranger, son nez le torturait. Il essaya d'apaiser la douleur en s'appliquant le baume qu'il avait acheté à la pharmacie. Peine perdue. Il ne réussit qu'à tremper le haut de sa chemise.

Sa blessure au nez transformait cette mission en une affaire personnelle. Julie Carlson allait payer pour ça. Le prix fort.

À condition qu'elle se décide enfin à sortir. Il l'avait vue entrer, à la fin de la matinée, puis il était parti déjeuner dans un bar. Ensuite, il avait parcouru le quartier à la recherche de l'endroit le plus propice pour se garer. Après quoi il n'avait plus bougé, afin de surveiller la façade de Carolina Belle. Basta connaissait ses horaires par cœur : elle fermait à 17 heures précises. Il avait pensé que, en arrivant aux alentours de 15 heures, il ne pourrait pas la manquer, même si elle partait plus tôt que d'habitude.

Pas question qu'elle lui échappe, cette fois.

Il patienterait aussi longtemps qu'il le faudrait, quitte à rôtir sur place.

Plus tard, il s'offrirait des vacances à Key West, pour marquer une pause avant de retourner à son travail officiel. Il avait la possibilité de prendre sa retraite d'ici quelques années.

Il était temps de songer à des projets d'avenir. Grand temps.

24

– Je croyais que nous étions d'accord, observa Mac, mécontent : vous ne deviez pas retourner à votre boutique cet après-midi.

Il freina au feu rouge et ajouta, goguenard :

– Pour une journée riche en événements, vous avez eu votre compte !

En d'autres circonstances, Julie lui aurait répondu sur le même ton. Mais, ayant appris à le connaître, elle savait que sa remarque ne visait qu'à une chose : éluder la question qu'elle venait de lui poser.

– Au contraire, je préfère regagner Carolina Belle. J'ai appelé sur mon portable, dans votre chambre, et Meredith, ma vendeuse, m'a dit que mon rendez-vous de 15 heures était toujours là et que c'était très compliqué. De toute façon, il va falloir que j'affronte Amber un jour ou l'autre. Alors, j'aime mieux me lancer aujourd'hui, plutôt que d'attendre demain matin.

Elle marqua une pause et chercha à capter son regard. Sans succès.

– Maintenant, vous voulez bien m'expliquer ce qui s'est passé avec votre associé ?

Il hésita, lui jeta un coup d'œil, puis se résigna :

– Dans notre métier, l'éthique nous interdit d'avoir des relations intimes avec nos clients. Hinkle était furieux que j'aie enfreint la règle.

Julie le considéra, sceptique. Certes, elle n'avait pas écouté les propos échangés par les deux hommes, mais Hinkle lui avait semblé hors de lui. Les principes professionnels qu'invoquait Mac suffisaient-ils à justifier une telle colère ?

Rien n'était moins sûr.

– Vraiment ?

– Mais oui, répondit-il avec un large sourire qui lui plissa les paupières.

Il reporta son attention sur l'autoroute, avant de se retourner vers la jeune femme :

– Que pensez-vous faire ce soir, une fois que vous aurez renvoyé Amber ?

– J'irai sans doute chez ma mère. Je n'ai pas l'intention de rentrer chez moi.

– Je pourrais vous emmener dîner.

À hauteur de l'échangeur, la circulation était dense. Mac resta silencieux une minute.

– Mac...

Elle hésitait. D'une part, sa proposition la tentait. De l'autre, elle se sentait encore trop bouleversée par les récents événements pour prendre des risques. Et si jamais sa romance avec lui se terminait mal ? Elle avait déjà un mariage catastrophique à son actif. Une déception supplémentaire la briserait à jamais.

– Je ne suis pas encore prête à m'engager, avoua-t-elle enfin.

Un ange passa.

– Qui vous parle de s'engager ? Pas moi, en tout cas. Je n'ai mentionné qu'un dîner... et peut-être, ensuite, une soirée en tête à tête. Ou peut-être pas. Comme vous voudrez, Julie. C'est vous qui décidez. Mais je crois que vous avez besoin d'un ami. Et, accessoirement, il va bien falloir vous nourrir !

Avec un demi-sourire, elle capitula :

– D'accord. Vous avez en tête un endroit précis ?

– À vous de choisir.

– Comme Josephine sera avec nous, que diriez-vous d'O'Connell ?

L'établissement, sans prétention, comportait des patios que la majorité des clients préféraient à la grande salle intérieure. Sid n'appréciait pas cet endroit, trop modeste à son goût. Julie, en revanche, s'y rendait souvent avec sa sœur et ses nièces. Josephine serait à l'aise, dehors, parmi les petites tables.

– Entendu. Vous n'avez pas la folie des grandeurs, commenta-t-il gaiement.

Il emprunta la bretelle de sortie en direction de Summerville. Le soleil, sur son déclin, envoyait des rayons obliques qui éblouissaient Julie. Bientôt le soir tomberait – et elle allait dîner avec Mac.

– Je suis désolée, reprit-elle, si je me suis montrée un peu... nerveuse tout à l'heure.

– Ce n'est rien.

Il pénétra dans le parking du supermarché et coupa le contact. À ce moment de la journée, une foule de clients se bousculaient aux abords de l'entrée, pour effectuer leurs achats à la sortie des bureaux. La circulation sur l'avenue était plus fluide que d'habitude, avant l'heure de pointe. De l'autre côté de la chaussée, la vitrine de Carolina Belle étincelait sous les feux du couchant.

Il faudrait affronter Amber, puis Carlene. Le retour à la réalité promettait d'être rude.

– Souhaitez-vous que je vous accompagne ? proposa Mac. Vous risquez de passer quelques minutes assez désagréables.

De le savoir à son côté suffisait à lui donner des forces ; en un sens, elle n'avait pas besoin de sa présence physique lors de cette épreuve.

– Non, merci, je m'en sortirai seule. Ensuite, je fermerai la boutique et je vous retrouverai ici à... disons 18 heures ?

– Parfait. Je vous attendrai. En cas de nécessité, surtout,

n'hésitez pas à m'appeler, conclut-il en tapotant son téléphone cellulaire dans la poche de son jean.

– Sans faute. Mais je pense que ce ne sera pas si terrible. Sauf si Amber nous offre une scène d'hystérie.

Elle ouvrit sa portière en ajoutant :

– Je ne serai pas très longue.

– Je ne bouge pas d'ici.

Elle s'éloigna, consciente du regard de Mac sur sa silhouette, et se sentit plus optimiste que jamais.

La chaleur du jour l'accueillit comme une amie un peu trop expansive, dans le brouhaha des conversations sur le trottoir, au milieu des vapeurs d'essence et des odeurs d'asphalte incandescent.

Elle marqua une halte à la hauteur des buissons qui séparaient le Taco Bell du parking du supermarché et s'efforça de réfléchir. Comment annoncer la nouvelle à Amber ? Elle tournait et retournait différentes formulations dans sa tête sans en trouver aucune.

Dans l'ombre du Taco Bell, à l'angle de la rue suivante, se profila une Lexus verte, qui ralentit peu après et se rangea contre le trottoir. Julie lui jeta un coup d'œil machinal puis reprit sa route. Elle n'entendit pas claquer la portière.

Trois secondes plus tard, une main lui enserra le bras. Stupéfaite, elle sursauta si violemment qu'elle faillit trébucher. Pivotant sur ses talons, elle se retrouva face à face avec Sid.

– Qu'est-ce que tu as fait ? Bon sang, qu'est-ce que tu as fait ?

Vêtu en dépit de la canicule d'un costume anthracite et d'une chemise de lin blanc, il avait le visage rouge. Sa cravate bleue était de travers, ses lunettes d'acier avaient glissé sur son nez. Il ressemblait si peu au Sid Carlson qu'elle connaissait qu'elle en demeura bouche bée. La jeune femme n'aimait pas ses accès de rage, qui la mettaient mal à l'aise.

Elle n'avait plus rien à lui dire, dorénavant. Leur mariage

était terminé depuis longtemps, bien avant qu'Amber entre en scène.

La jeune vendeuse avait juste servi de révélateur.

– Je ne vois pas de quoi tu veux parler, riposta-t-elle, glaciale. Et ôte ta main de là, je te prie.

Dans le regard de son mari, la surprise le disputa à la fureur. Puis son visage s'assombrit, pour adopter une expression menaçante :

– Ah non, tu ne vois pas ? Tu étais bien à l'intérieur de la maison, non ? Qu'est-ce que tu fabriquais ? Tu m'espionnais, c'est ça ? Espèce de petite garce... Qu'est-ce que tu as fait à ma Mercedes ? Elle ne veut plus démarrer. À cause de toi, j'ai raté mon avion. Tu te rends compte que c'était une réunion importante ? Je l'ai manquée par ta faute !

Malgré la colère qui l'envahissait, elle demeura sans voix et se contenta de le dévisager. Il avait l'audace de l'accuser, elle, alors qu'il venait de la tromper sans vergogne sous ses yeux...

– Figure-toi que j'ai découvert tes comprimés de Viagra. Je t'ai aperçu à la maison avec Amber et j'imagine sans peine ce que vous avez fait ensemble, dans la chambre conjugale. Alors, que tu aies manqué ton avion, tu penses bien que ça m'est égal ! Quant à ta voiture, à toi de deviner ce qui lui est arrivé... Tu es un être abject, Sid, et je n'en peux plus. Notre mariage est terminé. Je vais demander le divorce.

Effaré, il la scruta comme s'il n'en croyait pas ses oreilles, puis, resserrant l'étau de ses doigts autour du poignet de Julie, il lui jeta :

– Tu divorceras le jour où je l'aurai décidé, et pas avant ! Espèce de sale petite peste !

Il essaya de l'entraîner de force vers la Lexus mais elle se débattit. En vain. Il était trop fort pour elle. Elle avait peur, soudain ; jamais encore elle n'avait mis Sid dans un tel état de fureur. Il avait atteint le comble de l'exaspération et elle ne désirait guère savoir jusqu'où il pouvait aller.

– Laisse-moi !

Pourtant, elle ne pouvait lui échapper. Il la maintenait d'une poigne de fer. Plus que quelques mètres, et elle se retrouverait contrainte de monter à bord de la Lexus.

Elle aurait pu crier, afin d'attirer l'attention des passants, mais ce qui restait en elle de l'épouse de John Sidney Carlson IV s'y refusait. La jeune femme eût jugé indigne de provoquer un esclandre.

D'un autre côté, elle ne pouvait accepter que son futur ex-mari se permette de la traiter de cette manière.

– Enlève tes pattes de là, Sid.

La voix de Mac résonna derrière eux à l'instant où elle s'apprêtait à décocher un coup de pied dans les tibias de son mari.

Ce dernier se figea et, sous le choc de la stupeur, relâcha son étreinte. Mac en profita pour saisir le bras de Julie et l'éloigner de son agresseur. Une fois libre, elle se rangea d'instinct au côté de Mac, sous sa protection. Croisant les bras, elle toisa Sid.

– Mais c'est Mac McQuarry, si je ne m'abuse ? persifla Sid, le regard de glace. Je croyais que tu avais quitté Charleston depuis des années. On t'a accusé d'être un flic corrompu, si ma mémoire est bonne...

Mac sourit, à peu près aussi glacial que Sid, et leurs regards s'entrechoquèrent plutôt qu'ils ne se croisèrent. Les deux hommes s'affrontèrent sans un mot, sans un geste : l'un, vêtu d'un élégant costume plutôt incongru par cette chaleur torride ; l'autre, habillé d'un simple jean et d'une chemise hawaiienne, et chaussé de tennis ; l'un, grand, élancé ; l'autre, plus grand encore, plus jeune, plus athlétique.

Enfin, Mac rompit le silence par des paroles auxquelles Julie ne s'attendait pas :

– Ne me dis pas que tu as oublié les détails, Sid. Moi, en tout cas, je m'en souviens comme si c'était hier. Je voulais te revoir depuis longtemps, pour te féliciter. Beau travail, Sid. Bravo.

– Est-ce censé être une menace ?

Sid, au bord de l'apoplexie, changea subitement d'attitude et considéra tour à tour ses deux interlocuteurs d'un air soupçonneux :

– Peut-on savoir ce que tu fabriques avec ma femme ?

Mac ne lui avait jamais dit qu'il connaissait Sid, et cependant elle prit aussitôt sa défense :

– Je l'ai engagé, Sid. Mac est détective privé. Il a pris des photos de toi en compagnie d'Amber. Je vais la licencier, à propos, dès mon arrivée à la boutique. Et, comme je te l'ai déjà signalé, je demande le divorce.

Sid la fixa. Puis il observa le visage de Mac. Après quoi, à la grande surprise de Julie, il éclata de rire. Mac, quant à lui, était devenu blême.

– Quelle idiote ! s'écria Sid. Tu ne comprends pas qu'il t'a utilisée ? Il t'a soutiré tous les renseignements qu'il voulait à mon sujet, c'est cela ? Et tu lui as raconté tout ce que tu savais.

Julie dut écarquiller les yeux, car il enchaîna :

– Tu ne comprends toujours pas ? Ma parole, ton quotient intellectuel est inférieur à ton tour de poitrine ! Ce type est après moi depuis des années, et aujourd'hui il se sert de toi pour essayer de me coincer. Qu'est-ce que tu lui as dit, au juste ?

En dépit de la température étouffante, Julie frissonna, transie de la tête aux pieds.

– C'est vrai, Mac ? questionna-t-elle d'une voix sans timbre.

– Julie...

Il fuyait son regard. Donc Sid n'avait pas menti.

– C'est vrai, n'est-ce pas ?

– Je peux tout expliquer...

Trop tard. Il l'avait trahie, lui aussi.

Sid profita de son avantage pour ironiser une nouvelle fois :

– Alors, comme ça, tu t'es rendue à son bureau pour lui demander de me suivre ? Quelle aubaine pour lui ! Il n'a pas dû croire à sa chance ! Il s'est bien gardé de te dire qu'il me connaissait, je suppose ?

Il recula d'un pas, ouvrit la portière passager de la Lexus.

– Maintenant, tu viens, Julie, ordonna-t-il. Il faut que nous parlions.

La jeune femme, sous le choc, gardait les yeux rivés sur Mac. Elle pouvait à peine respirer. Sa douleur était si intense qu'elle en oubliait la liaison de son mari avec Amber. La trahison de Mac était pire.

– Julie, plaida celui-ci, écoutez, je...

– C'est ignoble, lui dit-elle, les dents serrées.

– Ne me raconte pas, railla Sid, que vous flirtez ensemble ?

Elle fit volte-face et détacha chacun de ses mots :

– Nous ne flirtons pas, Sid. J'ai fait l'amour avec Mac cet après-midi.

Voilà, c'était dit. Advienne que pourra. Elle refoula ses larmes et continua à l'intention de son mari, ignorant Mac délibérément :

– Maintenant, si tu as quelque chose à me dire, adresse-toi à mon avocat. J'appellerai demain à ton bureau pour communiquer son adresse et son numéro de téléphone à Heidi.

Tandis que Sid suffoquait, elle se retourna vers Mac :

– Quant à vous, je ne veux plus jamais vous voir.

– Julie... commença-t-il, puis sa voix se brisa. Laissez-moi une chance de m'expliquer.

– C'est inutile, riposta-t-elle en s'écartant de lui.

Elle les toisa l'un et l'autre, après quoi, tournant les talons, elle s'éloigna le plus vite possible.

– Reviens ici tout de suite, lui intima Sid, ou tu vas me le payer, sale garce !

Elle ne daigna même pas lui prêter attention et poursuivit sa route d'une démarche résolue, jusqu'au moment où elle entendit un bruit mat derrière elle. Jetant un coup d'œil en arrière, elle aperçut la scène : Sid se ruait sur Mac, qui venait de le frapper au visage. Les deux hommes, les poings en avant, se défiaient, prêts à se jeter l'un sur l'autre une nouvelle fois. Déjà, la bagarre attirait des badauds. Impavide, Julie continua son chemin.

Soudain, des pas précipités se rapprochèrent par-derrière.

– Julie, implora Mac, je sais que les apparences sont contre moi, mais...

– Les apparences ? se récria-t-elle. Allez-vous-en ! Laissez-moi tranquille ! Je refuse de vous écouter ! Envoyez-moi votre facture et je paierai. Pour le reste, je ne veux plus jamais avoir affaire à vous ! Disparaissez !

Ce fut seulement quand des passants la dévisagèrent qu'elle comprit qu'elle avait hurlé. Du coin de l'œil, elle nota que Sid, la face rougeaude, les poings serrés, se précipitait dans sa direction en vociférant des insultes. Du sang coulait de ses narines. Une femme pourvue de deux gros cabas à provisions avait posé ses paquets pour empoigner son portable, sur lequel elle composait un numéro, sans doute le 911.

Excellente initiative. Julie ne souhaitait qu'une chose : que Sid et Mac, l'un comme l'autre, finissent la journée au poste.

– Écoutez-moi, Julie, insista Mac en tentant de la retenir par l'épaule.

Elle se dégagea d'une secousse :

– Lâchez-moi ! Partez ! Allez au diable !

Un mouvement attira son attention sur le trottoir opposé, devant la vitrine de Carolina Belle. Lorsqu'elle en identifia la cause, elle pinça les lèvres. Carlene Squabb sortait de la boutique pour se diriger vers elle ; elle avait dû l'apercevoir par la porte vitrée. La jeune concurrente arborait une expression outragée qui n'augurait rien de bon – Julie ne connaissait que trop bien ses sautes d'humeur. Elle soupira, énervée. Les récriminations de Carlene étaient bien la dernière chose qu'elle souhaitait entendre en cet instant.

Pourtant, comme elle n'avait pas le choix, elle accéléra le pas, décidée à affronter l'orage.

– Julie, accordez-moi une minute... supplia Mac, qui venait de la rattraper.

Derrière lui courait Sid, le nez ensanglanté, des lueurs de meurtre dans les yeux. Il se rapprochait peu à peu. Mac ne se rendait pas compte de sa présence, ou du moins il avait pris le parti de l'ignorer.

Carlene regarda des deux côtés de la chaussée en attendant de traverser. Ce fut alors que Julie s'aperçut que la jeune fille portait la robe violette qu'elle avait abandonnée quelques heures plus tôt au magasin, parmi les stocks. Mais pourquoi ?

Sur le côté gauche de la chaussée, surgie de nulle part, une voiture bleue fonça en direction de Carlene, qui hésitait au bord du trottoir. La jeune concurrente, qui aperçut le véhicule au dernier moment, fit un bond en arrière pour tenter de l'éviter.

Trop tard.

La voiture percuta Carlene avec un bruit sourd et la projeta à deux mètres de hauteur, tel un pantin désarticulé.

Julie poussa un cri et se rua vers la jeune fille. Une mare de sang s'étendait autour du corps.

25

Carlene Squabb était morte sans reprendre conscience et Julie ne parvenait pas à y croire. D'un pas chancelant, elle quitta l'hôpital vers 22 heures ; la torpeur de la nuit l'enveloppa de toutes parts. Il régnait une chaleur moite ; les étoiles scintillaient autour du croissant de lune. Difficile de s'imaginer que, sous la beauté de ce ciel nocturne, une vie avait pu s'interrompre d'une façon aussi brutale, aussi atroce.

Julie était restée dans une salle d'attente impersonnelle jusqu'à la fin, en compagnie de la famille de Carlene.

La jeune concurrente avait été victime d'un chauffard qui avait pris la fuite, selon la thèse de la police. Les autorités avaient ouvert une enquête, en commençant par interroger Meredith puis Julie, ainsi que différents témoins. Deux des passants qui avaient assisté au drame avaient eu la présence d'esprit de relever le numéro d'immatriculation de la voiture bleue. On n'avait pas encore retrouvé la trace du véhicule ni de son conducteur mais les policiers gardaient bon espoir.

Pour sa part, Julie avait signalé dans sa déposition que la victime portait une robe qui lui appartenait ; l'officier de police avait noté cette information, sans toutefois sembler lui accorder une grande importance.

De l'avis général, Carlene avait été renversée par un automobiliste ivre ou drogué, ou encore un adolescent qui ne possédait pas son permis. Dans sa panique, il s'était enfui.

Les policiers estimaient que, une fois la voiture identifiée, toutes les questions s'éclairciraient d'elles-mêmes.

Julie avait cherché à en apprendre davantage auprès de son assistante. Elles avaient eu un aparté dans le couloir de l'hôpital.

– Carlene s'est sentie humiliée de n'avoir affaire qu'à moi, simple vendeuse, au lieu de vous, lui avait expliqué Meredith. Elle vous a attendue sans vouloir enfiler les vêtements que nous avions préparés pour elle, en fumant cigarette sur cigarette dans le salon d'essayage.

– Vous n'avez pas pu l'en empêcher ?

– Non, je n'avais aucune autorité sur elle. Vous savez comment elle est... comment elle était, la pauvre. Bref, à force de fumer, elle a brûlé le devant de son chemisier, ce qui a fait un trou dans le tissu. Après ça, elle a dit qu'elle ne pourrait pas rentrer chez elle avec un vêtement troué. Je lui ai donc proposé de lui prêter un bustier ou un corsage, mais rien ne lui allait... ou ne lui convenait.

– Et elle a vu la robe violette...

– Oui. Elle l'a essayée, elle était ravie. Je lui ai objecté que cette robe vous appartenait, qu'elle ne pouvait pas l'emprunter, mais elle n'a rien voulu entendre. En fin de compte, nous avons transigé. Je lui ai dit de vous attendre et de vous demander la permission.

– Elle a gardé la robe sur elle ?

– Je voulais qu'elle l'enlève avant votre arrivée, mais...

– Ce n'est pas grave, Meredith. Vous avez eu raison. De toute manière, ce n'est pas cette robe qui a tué Carlene.

Mais Julie se doutait que, au contraire, la robe violette lui avait coûté la vie.

– Vous croyez qu'il est prudent de se promener la nuit dans un parking ? fit une voix masculine derrière elle, au moment où elle atteignait sa voiture.

Perdue dans ses pensées, elle sursauta. Mac se tenait

devant elle, sous la lumière crue d'un réverbère du jardin de l'hôpital.

– Allez-vous-en, Mac McQuarry. Nous nous sommes déjà tout dit.

– Il faut absolument que je vous parle, Julie. C'est très important.

– Sur quel ton faut-il vous le répéter ? Partez tout de suite, ou j'appelle au secours.

– Le danger ne vient pas de moi, mais de Sid. L'idée ne vous est jamais venue à l'esprit qu'il essayait de vous tuer ?

– Quoi ?

L'hypothèse était tellement saugrenue – et en même temps tellement proche de son sentiment de malaise diffus – qu'elle se raidit en guettant la suite.

– Pas Sid lui-même, bien sûr, continua-t-il, ce n'est pas son genre de se salir les mains. Il a dû louer les services d'un professionnel. Cette jeune fille qui est morte tout à l'heure portait votre robe, d'après ce qu'on m'a dit. Et elle sortait de votre boutique... Le tueur a dû croire qu'il s'agissait de vous. Peut-être ce tueur n'est-il autre que l'individu qui vous a agressée chez vous. Et sans doute va-t-il réessayer. Vous lui avez échappé par deux fois. Mais s'il recommence... ?

Elle faillit regarder alentour, à l'affût des ombres dans les buissons, mais elle se refusa à lui montrer qu'il avait réussi à l'effrayer.

– Si vous en êtes si sûr, pourquoi n'êtes-vous pas allé exposer cette brillante théorie au poste de police ?

– Ils ont cessé de me prendre au sérieux, là-bas. Surtout quand il est question de Sid. Vous vous souvenez, je vous ai dit qu'on m'avait renvoyé à cause d'un homme sur qui j'enquêtais... Eh bien, c'était lui.

Tandis qu'il parlait, elle avait engagé sa clé dans la serrure de l'Infiniti. Sa main se crispa.

– Vous meniez une enquête sur Sid ? Mais pour quel motif ?

– Pour une affaire de drogue. À l'époque, je surveillais un réseau de trafiquants et je pensais que Sid en était le chef. Entre autres délits.

L'espace d'un instant, elle en resta sans voix. Puis elle ouvrit sa portière, s'engouffra dans sa voiture et baissa sa vitre, le temps de lui jeter :

– Vous êtes malade, Mac. Vous avez besoin de vous faire soigner.

Elle remonta sa vitre et enclencha la marche arrière, dans l'espoir de sortir de parking au plus vite. Dans la pénombre des arbres, Mac lui adressait de grands signes qu'elle apercevait dans son rétroviseur.

Non. Trop, c'était trop. Elle avait failli le croire lorsqu'il avait évoqué les tentatives de meurtre, mais d'imaginer Sid, le froid, l'élégant Sid en caïd de la drogue, cela ne rimait à rien. Cette fois, Mac avait bel et bien sombré dans le ridicule.

Quittant l'artère principale, la jeune femme s'aventura dans le labyrinthe de venelles qui menait à la maison de sa mère. Depuis un bon moment, elle distinguait de temps à autre des phares dans son rétroviseur, qui parfois s'éloignaient, parfois se rapprochaient.

Il s'agissait toujours de la même voiture. Quelqu'un la suivait.

Elle attrapa son téléphone pour alerter la police, lorsque, à la faveur d'un carrefour mieux éclairé que le reste du quartier, elle discerna plus nettement la forme du véhicule : une Blazer noire. Mac.

Deux minutes plus tard, elle se garait devant chez Dixie. Bien entendu, la Blazer l'imita et se rangea le long du trottoir d'en face. Josephine se tenait à l'avant et la contemplait, son petit museau blanc pointé vers elle. Résignée, Julie demeura assise à son volant. Quand Mac vint frapper à sa portière, elle baissa sa vitre de quelques centimètres.

– J'en ai assez, Mac ! Si vous ne me laissez pas tranquille, je téléphone au 911 et...

– Je n'en ai pas fini, coupa-t-il. Souvenez-vous, je vous ai interrogée au sujet de la première femme de Sid. Vous m'avez répondu qu'elle était partie depuis longtemps quand vous l'avez rencontré. Eh bien, c'est encore plus vrai que vous ne le pensiez : au terme d'une soirée en compagnie de Sid, elle a disparu. Personne ne l'a jamais revue. Je l'ai recherchée en vain durant des années. Elle s'appelair Kelly. Elle avait vingt-deux ans.

– Qu'est-ce que vous insinuez ? Que Sid l'a assassinée ?

– Je crois plutôt qu'il a payé quelqu'un pour s'en charger à sa place.

– Vous êtes fou ! Encore une fois, pourquoi ne pas aller raconter tout cela à la police ?

– Mais la police, c'était moi, à l'époque ! J'étais inspecteur lors de la disparition de Kelly Carlson, et le problème se résumait à ceci : pas de témoins, pas de corps, donc pas de crime. On m'a affirmé que Kelly Carlson était retournée vivre dans sa famille en Californie. Seul petit inconvénient : elle n'avait plus de famille là-bas. Ses parents étaient déjà morts lorsqu'elle a épousé Sid. Je n'ai trouvé trace d'elle nulle part, ni en Californie, ni ailleurs. Alors, puisqu'on refuse de m'écouter au poste de police, pourquoi ne pas tenter votre chance ? Je ne dispose d'aucune preuve pour le moment, mais ça vaudrait la peine d'essayer. Peut-être vous croiront-ils.

Elle sortit de sa voiture, ferma à clé, puis le toisa de toute sa hauteur :

– Vous racontez n'importe quoi, dans le seul but de me terroriser !

Et il y parvenait plus ou moins. En un sens, les récents événements pouvaient fort bien s'interpréter ainsi qu'il le suggérait ; tout s'emboîtait parfaitement. Cependant, Sid ne correspondait pas, malgré tous ses défauts, à l'image que Mac s'employait à donner de lui.

– Je m'efforce de vous sauver la vie, reprit-il. J'ai travaillé pour vous, cet après-midi, et devinez ce que j'ai découvert... Vous vous rappelez le Sweetwater, cet honorable établissement où nous avons croisé votre mari ? Eh bien, ce night-club appartient à Rand Corporation, qui possède également All-American Builders.

– L'entreprise de Sid ?

– Eh oui ! Il se passe beaucoup de choses au Sweetwater, on y brasse des sommes colossales. En ville, la rumeur prétend que l'établissement sert à blanchir de l'argent sale. Celui de la Mafia, pour parler clair. Et savez-vous qui possède Rand Corporation ? Je vous le donne en mille : John Sidney Carlson III. En d'autres termes, le père de Sid. Quant à John Sidney Carlson II, le grand-père de Sid, il en a été le président jusqu'à sa mort.

– Vous affirmez que le père et le grand-père de mon mari sont impliqués dans du blanchiment d'argent ? Pour le compte de la Mafia ? Vous voulez rire ?

Mac secoua la tête. Jamais il n'avait été aussi sérieux.

– Je n'ai pas encore pu effectuer tous les recoupements, par manque de temps, mais je pense que Rand Corporation et ses filiales, c'est-à-dire, notamment, les entreprises de la famille Carlson, servent de sociétés écrans pour le crime organisé. Je crois qu'elles sont mêlées au trafic de drogue, aux paris clandestins, au proxénétisme, au racket et autres activités illégales. Enfin, j'ai la certitude que tous ceux qui se mettent en travers de leur route sont éliminés sans pitié.

– Vous sous-entendez que je suis « en travers de leur route » ?

– Par exemple, saviez-vous qu'il n'y a jamais eu de divorce chez les Carlson ?

Julie haussa les épaules, agacée.

– Pourquoi ? Les mariages qui durent sont-ils synonymes de crime organisé ? railla-t-elle.

– Les jeunes filles qui épousent un Carlson n'ont pas beaucoup de chance, en règle générale. Il n'y a pas de divorce mais, en revanche, on assiste à une quantité impressionnante de remariages. Les épouses des Carlson n'ont pas une très longue espérance de vie.

La jeune femme s'apprêtait à lui rire au nez quand elle se souvint que son beau-père était deux fois veuf. Sa première épouse, la mère de Sid, avait péri dans un accident de voiture lorsqu'il avait trois ans. La seconde s'était noyée.

Carlene Squabb avait été renversée par un chauffard.

Le père de Julie s'était noyé.

Ce n'étaient là que pures coïncidences, bien entendu. Néanmoins...

– Quand j'étais petite, répondit-elle, la gorge sèche, mon père travaillait quelquefois pour Rand Corporation.

– À quelle date, exactement ?

– Je l'ignore. J'avais sept ou huit ans, peut-être. Mes parents avaient déjà divorcé à ce moment-là mais il venait de temps en temps à la maison pour apporter des chèques à ma mère. Ces chèques émanaient de Rand Corporation ; ce détail m'a frappée parce que, comme nous ne le voyions pas très souvent, Becky et moi, nous voulions tout savoir sur lui, y compris le nom de son employeur.

Elle serra les dents afin de masquer son émotion.

Mac allait poursuivre lorsque la lumière s'alluma sous le porche de la maison. La porte s'ouvrit et l'opulente silhouette de Dixie se découpa sur le seuil.

– Julie ! C'est toi ?

Ses cheveux roux étaient roulés sur des bigoudis ; elle portait une robe de chambre matelassée, ornée de fleurs.

– Oui, maman.

Dixie s'avança, une main sur les yeux pour se protéger du halo lumineux et tenter de distinguer sa fille dans les ténèbres environnantes.

– Tout va bien ?

– Oui, maman.

– Qui est avec toi ?

– Personne, maman.

La jeune femme se retourna vers Mac et ajouta à voix basse :

– Je ne crois pas un mot de ce que vous me dites. Vous m'avez menti. Je ne peux plus avoir confiance en vous. Maintenant, allez-vous-en.

– Bon sang, Julie...

– Mais si, Julie, claironna Dixie depuis son poste d'observation, il y a un homme avec toi. C'est celui qui a frappé Sid au visage ?

Julie leva les yeux au ciel. Elle n'échapperait donc jamais au tam-tam familial.

– Maman, qui t'a raconté ça ?

– Becky. C'est Kenny qui lui en a parlé. Il le tenait de la secrétaire de Sid, comment s'appelle-t-elle déjà, ah oui, Heidi. Elle était au courant parce qu'elle a dû aller retrouver Sid à l'aéroport pour lui apporter une chemise propre : sa chemise avait des taches de sang. Il lui a dit que tu avais un amant et que ton amant l'avait attaqué. Bien sûr, j'ai dit à Becky de dire à Kenny de dire à Heidi que c'était faux.

– Alors, Sid est parti pour Atlanta, au bout du compte ? s'enquit Julie, soulagée.

Voilà qui résolvait une partie du problème, fût-ce à titre provisoire.

– Je pense, oui, mais là n'est pas la question. L'important, c'est qu'il prétend que tu as un amant.

Dixie tremblait d'indignation. Julie se dirigea vers sa mère et l'embrassa en prenant grand soin de la ramener en haut des marches et de la faire pivoter sur elle-même ; du coin de l'œil, elle apercevait Mac, immobile près de la Blazer. Inutile que Dixie s'appesantisse sur sa présence.

– Maman, ce n'est pas facile à dire, mais... j'ai l'intention de demander le divorce.

Si elle voulait détourner l'attention de sa mère, elle n'aurait pu trouver meilleur prétexte.

Dixie émit une sorte de hoquet et se couvrit la bouche à deux mains.

– Mon Dieu, ma petite fille ! Pourquoi ? Mais pourquoi, au nom du ciel ? Est-ce que Sid a dit la vérité ? Ne me raconte pas que tu as un amant, tout de même !

– Après tout, Julie ne ferait que suivre tes traces, maman, intervint gaiement Becky, qui venait d'apparaître sous le porche à son tour. Combien d'amants as-tu eus, déjà ? Je renonce à calculer... Julie a donc le droit de s'en accorder au moins un.

– Merci, Becky, fit Julie, reconnaissante.

La présence de sa sœur ne l'étonnait guère, Dixie aimant bien accueillir ses deux filles en même temps.

– Kenny est resté à la maison, expliqua Becky en embrassant la jeune femme. Il garde les enfants. Il est bouleversé par cette histoire. D'après lui, ce divorce risque de lui coûter sa place.

Dixie entraîna ses deux filles à l'intérieur de la maison et, dès qu'elle eut refermé la porte, elle entama sa plaidoirie d'un ton ferme :

– Écoute-moi bien, Julie Ann Williams. Que tu aies un amant, soit. Mais ce n'est pas une raison pour divorcer. Moyennant quelques petits efforts de ta part, je suis certaine que les choses pourraient s'arranger avec Sid...

La jeune femme poussa un soupir. La nuit s'annonçait longue.

26

Après des heures d'insomnie sur l'inconfortable banquette arrière de sa Blazer, Mac s'étira, perclus de courbatures. Toute la nuit durant, il avait surveillé l'entrée de la maison de Dixie. Sur son portable, il avait joint Hinkle, Rawanda, Mama Jones ainsi que divers amis et connaissances pour les envoyer à la recherche d'un maximum d'informations concernant Sid Carlson et Rand Corporation.

Dans les lueurs mordorées de l'aurore, il bâilla, impatient de prendre une douche et d'avaler une tasse de café – pas nécessairement dans cet ordre, d'ailleurs.

Au lieu de cela, il avisa Julie qui sortait de la petite maison au pas dc course, vêtue d'un short de cycliste et d'un T-shirt trop large pour elle, et chaussée de baskets. Elle avait noué ses longs cheveux bruns en queue de cheval.

Il lui emboîta le pas tout en consultant sa montre : 7 h 26. À cette heure matinale, les plupart des habitants du quartier, du moins les plus raisonnables, dormaient encore. Seule une vieille dame apparut sur le seuil de sa maison, pour s'emparer de son journal, livré sur le perron. Mac la salua d'un signe amical, auquel elle répondit par un regard lourd de soupçons.

L'endroit était idéal pour un meurtre. Pas de témoins. Accès direct à l'autoroute. Le sang de Mac ne fit qu'un tour à cette pensée. Comble d'imprudence, Julie avait mis un

Walkman sur ses oreilles ; ainsi une division blindée aurait-elle pu s'approcher d'elle sans qu'elle entende rien.

Furieux, Mac décida de lui donner une leçon, afin qu'elle mesure une fois pour toutes les risques qu'elle prenait. En conséquence, il accéléra l'allure, jusqu'à se retrouver juste derrière elle, et lui tira sa queue de cheval d'un coup sec.

La réaction fut instantanée. Elle fit volte-face et, avant d'avoir compris pourquoi, Mac se retrouva nez à nez avec une bombe aérosol.

Le brouillard envahit ses paupières comme un jet de flammes. La brûlure lui consuma les yeux avec une telle soudaineté qu'il crut être devenu aveugle.

– Bon sang, Julie ! s'exclama-t-il en se retenant pour ne pas hurler de douleur.

– Mac ! Oh, pardon ! J'ai cru que c'était le tueur.

Elle avait posé une main compatissante sur son épaule ; il le sentait plutôt qu'il ne le voyait, car le monde autour de lui se résumait pour l'instant à un nuage opaque. En désespoir de cause, il souleva un pan de sa chemise et essaya de se frotter les paupières, ce qui ne réussit au début qu'à déclencher une avalanche de larmes. Toussant, éternuant, suffoquant, il parvint néanmoins à recouvrer péniblement la vue au bout d'une minute qui lui parut durer une éternité.

Une demi-seconde plus tard, il recevait un paquet d'eau glacée en pleine figure.

Julie avait aperçu une fontaine sur le trottoir et, les mains en coupe, avait rapporté une petite quantité de liquide pour asperger sa victime.

Le résultat immédiat fut que l'eau froide multiplia sa souffrance d'une manière exponentielle.

– Et maintenant, fit Julie, manifestement satisfaite, je vais continuer mon jogging. Ne vous tourmentez pas pour moi, Mac, je me débrouille très bien toute seule.

– Vous venez de m'en administrer une preuve... éclatante, grommela-t-il cependant que, à sa grande consternation, elle s'éloignait d'un pas léger.

La douleur était longue à s'estomper. Il cligna des paupières et pleura encore, dans un hoquet.

Vingt minutes plus tard, Mac, qui avait regagné les abords de la maison de Dixie, à peu près rétabli, s'essuya les yeux une dernière fois – pour apercevoir un spectacle qui le remplit d'horreur.

Une voiture blanche sortait du garage de Dixie. Un klaxon retentit. Par la vitre gauche, une main s'agita dans sa direction.

Julie.

L'Infiniti disparut à l'angle de la rue.

Il bondit dans la Blazer, démarra sur les chapeaux de roue et opéra un virage à cent quatre-vingts degrés. Josephine le regarda, outrée, comme s'il avait perdu la raison.

Ainsi qu'il s'en doutait, la jeune femme emprunta la direction de Summerville. Une fois arrivée sur place, elle se gara dans le parking du supermarché, à deux pas de Carolina Belle.

Mac la rattrapa au moment où elle insérait sa clé dans la serrure de la porte vitrée.

– Mais laissez-moi tranquille, nom de nom !

Sans daigner répondre, il la suivit d'autorité dans son bureau, où régnait une température qui eût sans doute été torride pour l'Antarctique, et encore, pas dans une zone habitée. Il se frotta les bras, avide de se réchauffer.

– On gèle, ici, maugréa-t-il.

– Si vous avez froid, la solution est on ne peut plus simple : vous n'avez qu'à sortir. J'attends des clientes d'une minute à l'autre.

– Vous ne vous débarrasserez pas de moi aussi facilement. Je suis là pour vous protéger, que vous le vouliez ou non. Et on ne saurait prétendre que vous m'aidiez beaucoup.

Il alla inspecter les cabines d'essayage, la réserve, le salon et ses recoins, où, par chance, la climatisation répandait une fraîcheur supportable.

– Alors ? railla Julie. Pas d'assassin embusqué dans les plis des tentures ?

– Jusqu'à présent, non.

– C'est fou ce que je me sens soulagée ! persifla-t-elle. Maintenant que vous voilà rassuré, pourriez-vous me laisser travailler ?

– Je ne comprends pas pourquoi vous ouvrez aujourd'hui. Enfin, cette jeune fille est morte ! Vous devriez fermer la boutique en signe de deuil, ne serait-ce que pendant vingt-quatre heures.

– J'y ai pensé, figurez-vous. Seulement, j'ai discuté avec les responsables du concours des Belles du Sud, hier soir au téléphone. Ils comptent s'en tenir au programme prévu. On observera une minute de silence en hommage à Carlene lors du gala d'ouverture mais, sinon, le déroulement de la compétition restera inchangé. Je n'ai pas le choix, il faut que je sois là.

– Non, mais je rêve ! Quelqu'un essaie de vous tuer, et vous êtes là à me parler d'un concours de beauté ! Quelles sont vos priorités, dans la vie ?

– Mon métier. Mes clientes.

Il s'exhorta à la patience et reprit d'un ton uni :

– C'est absurde. Oubliez ce satané concours et fermez le magasin. Sinon, je ne peux pas vous garantir que le tueur ne va pas recommencer, ici même, dans cet endroit où on entre comme dans un moulin.

– Si je me croyais vraiment en danger, je courrais droit au poste.

– Les policiers de garde vous recevraient très poliment et rédigeraient un petit rapport bien gentil. Avant que vous soyez abattue. Ensuite, là, oui, ils entameraient une enquête. Mais ce serait trop tard pour vous.

Les yeux de la jeune femme jetaient des éclairs. Mac songea qu'il n'avait peut-être pas fait preuve d'un tact exemplaire mais, d'un autre côté, il en avait assez ; il était fatigué d'essayer de la convaincre.

– Tant pis, je prends le risque. Et, à présent, déguerpissez ! Bon vent !

Il lui rendit son regard, résolu à conserver son calme.

– Non, rétorqua-t-il. Je ne bouge pas d'ici. Quoi qu'il advienne, je vous protégerai malgré vous.

27

À 19 heures, Julie était tellement exténuée qu'elle avait du mal à garder les yeux ouverts. Tara Lumley était sa dernière cliente.

– Vous viendrez demain soir ? questionna la jeune fille tandis que Julie s'affairait à rectifier l'emplacement d'une épaulette.

Pour accorder une concession à Mac, elle avait accepté de verrouiller la porte vitrée durant toute la journée, au grand déplaisir des clientes, des livreurs et de Meredith.

– Oui, j'assisterai au concours. Ne bougez pas... Voilà, c'est parfait. À demain, Tara. Vous serez sensationnelle.

La jeune fille ôta la robe du soir, remit ses vêtements et l'embrassa avant de quitter la boutique. Pendant qu'elle s'éloignait dans l'avenue, Mac bougonna dans son coin :

– Du diable si vous y allez !

Il avait passé la journée sur place, entre le salon d'essayage et le bureau, à parler au téléphone et à pianoter sur l'ordinateur. De son côté, Josephine avait arpenté la moquette de la boutique en s'intéressant de très près aux tentures de velours des cabines ainsi qu'aux chaussures des jeunes clientes. Mac portait un jean et un tee-shirt que Rawanda lui avait apportés dans la matinée, et il était si beau que les concurrentes n'avaient pas manqué de tourner autour de lui. Certaines, plus entreprenantes, avaient tenté d'obtenir son numéro de téléphone et Julie, l'œil candide, leur avait murmuré qu'il s'agissait d'un créateur de mode, connu sous le nom de Debbie, et qu'il était gay. Elle avait éprouvé une satisfaction perverse à constater leur déception.

– Comment ?

– Je disais : vous n'irez pas à ce concours, Julie. Ici, tout le monde sait que vous comptez vous y rendre et, pour le meurtrier, ce serait l'enfance de l'art. Il n'aurait plus qu'à vous guetter là-bas. Nous pourrions essayer de lui compliquer la tâche, vous ne trouvez pas ?

Il s'était exprimé d'une voix neutre, sans élever le ton, ce qui était d'autant plus méritoire de sa part que, d'heure en heure, sa patience s'était émoussée d'une manière spectaculaire.

– Rien ne vous autorise à me dicter ma conduite, rétorqua-t-elle. D'autant que j'y ai réfléchi toute la journée : pour quelle raison mon mari aurait-il intérêt à se débarrasser de moi ? Quel pourrait être son mobile ? Pas l'argent, en tout cas : nous avons signé un contrat de mariage très clair sur ce point. Cela ne peut pas être non plus parce que j'ai commis l'énorme bêtise de coucher avec vous, puisqu'il ne l'a appris que quelques minutes avant la mort de Carlene. Alors ?

– Je n'en sais rien.

– Vous pensez que Sid souhaite ma mort à seule fin d'éviter toutes les tracasseries du divorce ? Laissez-moi rire !

– Je l'ignore, répéta-t-il.

Elle haussa les épaules, méprisante.

– Julie, que voulez-vous que je fasse demain matin ? s'enquit Meredith en sortant du vestiaire, où elle venait de récupérer son sac à main. Oh, excusez-moi, ajouta-t-elle, je ne voulais pas vous déranger.

– Vous ne nous dérangez pas, Meredith, lui répondit la jeune femme en se détournant de Mac. Nous n'avons prévu aucun rendez-vous pour la journée de demain, alors autant nous retrouver sur place le soir. Un peu en avance, au cas où les concurrentes auraient besoin d'une retouche de dernière minute.

– D'accord, sourit la vendeuse. Je suis surexcitée ! Je ne suis encore jamais allée chez le gouverneur.

– Ce sera une soirée très agréable.

Mac marmonna entre ses dents tandis que Meredith se dirigeait vers la porte. La jeune vendeuse n'était au courant de rien ; tout juste savait-elle qu'Amber ne faisait plus partie de la maison ; Julie avait laissé un message sur le répondeur d'Amber pour lui annoncer qu'elle était renvoyée et n'avait pas à se présenter au magasin. Pour sa part, Sid avait appelé sa femme à deux reprises, sur la ligne de la boutique, et, les deux fois, Julie avait refusé de prendre la communication. Ce comportement inhabituel, ajouté à la présence de Mac, ne pouvait que déconcerter Meredith. Mais, comme elle était la discrétion même, la jeune vendeuse n'avait pas posé la moindre question.

– Alors, à demain soir, dit Meredith.

– Merci encore pour votre aide, aujourd'hui.

À peine la vendeuse eut-elle traversé l'avenue, Mac revint à la charge :

– Vous n'irez pas là-bas.

– Vous voulez parier ?

– Oui. Vous désirez savoir ce que j'ai fait, toute la journée, dans votre bureau ?

– Vous avez perturbé la bonne marche de la maison. À part cela, je ne vois pas.

– J'ai vérifié la comptabilité de Rand Corporation.

– Comment ?

– Hier, j'ai piraté les dossiers qui m'intéressaient dans l'ordinateur de Sid. Votre père a reçu des paiements en provenance de cette société, à un rythme régulier, et ce jusqu'à il y a quinze ans. Là, tout s'arrête du jour au lendemain. Le même mois, Kelly Carlson a disparu. Et, également le même mois, mon frère, Daniel...

– Assez ! s'emporta-t-elle. Je n'en peux plus de votre

théorie du complot ! Je suis fatiguée, je meurs de faim et j'ai la migraine. À titre d'information, je crois que Lee Harvey Oswald a agi seul. Je crois que la mort de lady Diana est due à un accident. Et je crois que vous avez perdu la tête.

D'un geste plein de détermination, elle ouvrit la porte de la boutique en l'obligeant à lui céder le passage. Pendant qu'elle refermait derrière eux, Mac, Josephine dans les bras, l'interrogea à mi-voix :

– Où voulez-vous dîner ?

– Parce que vous me proposez de dîner avec vous, maintenant ? Pas question !

Elle fit volte-face, vers le parking où elle avait garé l'Infiniti, non sans jeter un coup d'œil sur les parages. Après tout, on ne savait jamais. Mieux valait se montrer prudente. Toutefois, aucun mouvement suspect n'attira son attention.

Mac et Josephine, lui ayant emboîté le pas, ne tardèrent pas à la rattraper.

– Je dois rentrer chez ma mère, précisa la jeune femme. Elle est encore sous le choc, en raison de mon divorce. Il faut que j'aille lui remonter le moral.

– Téléphonez-lui, dites-lui que vous vous décommandez.

– Non.

Pourtant, cette perspective la séduisait. L'idée de subir les remontrances de Dixie se révélait moins tentante.

Parvenue devant l'Infiniti, à deux mètres de la Blazer, Julie marqua une pause.

– Au fond, je me demande...

Elle s'interrompit net en voyant Mac plonger par terre, les mains sur le sol du parking, pour passer sa tête sous le châssis de la Blazer.

– Qu'est-ce que vous fabriquez ?

Il prit son temps, inspecta l'arrière des pneus, puis se redressa en s'époussetant.

– Je regardais s'il n'y avait pas d'explosifs.

– Mon Dieu !

Elle avait du mal à l'admettre mais l'inquiétude de Mac la gagnait peu à peu. Néanmoins, elle le toisa d'un air de défi :

– Si vous avez envie de me suivre jusque chez ma mère, il vaut mieux y renoncer dès à présent.

– Pas de problème. Je n'en ai nullement l'intention.

Il ouvrit la portière de la Blazer :

– Montez.

– Jamais de la vie ! Je ne...

D'autorité, il la saisit à bras-le-corps et la poussa dans sa voiture, après quoi il claqua la portière et démarra aussitôt.

Tremblante de rage, elle serra les poings tandis que la Blazer sortait du parking.

– Laissez-moi descendre ! Immédiatement !

– Attachez votre ceinture, lâcha-t-il pour toute réponse.

– Je ne veux aller nulle part avec vous ! Je veux partir ! Vous êtes un fou dangereux ! C'est un enlèvement !

Le feu étant au vert, Mac dépassa le carrefour en accélérant l'allure.

– Pour que les choses soient bien claires entre nous, reprit-il au bout d'un moment, je tiens à préciser que j'ai passé une journée abominable. La nuit dernière, je n'ai pas pu fermer l'œil. Ce matin, vous m'avez attaqué au moyen d'une bombe lacrymogène. J'ai faim. Je fais une overdose de caféine. Je me casse la tête à essayer de résoudre votre affaire. J'ai dû attraper la mort grâce à votre fichue climatisation. Et je dois endurer votre attitude, qui, pour parler franchement, est insupportable. Alors j'en ai assez. J'ai décidé de diriger les opérations.

Il observa une pause, le temps de reprendre haleine, puis continua d'un ton froid :

– Ce soir, j'ai une pile de papiers à terminer, et j'ai également besoin de me nourrir et de dormir. Tant que vous serez auprès de moi, il ne pourra rien vous arriver. Donc vous venez avec moi, et vous cessez de vous plaindre. Compris ?

– Si je ne suis pas chez elle tout à l'heure, ma mère va alerter la police, objecta-t-elle, les bras croisés.

– Pour la centième fois, Julie : vous êtes en danger de mort. Pensez à la pauvre Carlene, bon sang !

Ils venaient de s'engager sur le boulevard extérieur. Livide, la jeune femme tendit la main vers lui :

– Donnez-moi votre portable.

Après avoir empoigné le téléphone, elle composa le numéro de Dixie.

– Maman ? C'est Julie. Je ne peux pas venir dîner ce soir. Je te rappelle plus tard. Je t'embrasse.

Elle coupa la communication :

– C'était son répondeur. Dieu merci.

– Elle est si contrariée que ça à propos de votre divorce ?

– Elle en est malade. Elle me reproche d'avoir tout gâché et elle n'écoute pas ce que je m'efforce de lui dire. Au fait, elle voudrait vous rencontrer.

– Si elle est aussi raisonnable que vous, ça promet.

Josephine se mit à japper et Julie se retourna vers la banquette arrière afin de lui gratter les oreilles. Soulagé d'avoir eu le dernier mot, Mac paraissait soudain plus détendu.

– Alors, que souhaitez-vous en guise de dîner ? questionna-t-il avec un demi-sourire.

– Le thon aux herbes de chez ma maman, ironisa la jeune femme.

– J'ai envie d'une pizza. Pas vous ? C'est ce qu'il y a de plus pratique quand on travaille au bureau.

Il s'empara du téléphone et composa quelques chiffres.

– Rawanda, tu peux nous commander deux pizzas ? L'une à la napolitaine et l'autre...

– Végétarienne, compléta Julie.

– ... sans rien, juste des légumes, termina-t-il, dégoûté, avant de raccrocher.

Aux abords du centre-ville, des nuages roses, à l'horizon, annonçaient de la pluie pour le lendemain.

Il se gara au coin d'une petite rue. Lorsqu'ils sortirent de la Blazer, Julie, résignée à accompagner Mac, prit Josephine dans ses bras et lui attacha sa laisse.

– Où allons-nous ?

– À mon agence. Depuis hier, ils sont sur les dents à propos de votre affaire. Il faut que j'aille vérifier ce qu'ils ont trouvé.

Il la précéda le long de la ruelle puis s'arrêta devant un immeuble vétuste que jouxtait un parking.

– Pourquoi ne pas avoir choisi le parking, plutôt ? s'étonna Julie. Il restait de la place...

– Je me suis garé plus loin pour qu'on ne repère pas mon auto. Inutile qu'on sache que nous sommes là. Plus tard, quand nous ressortirons de l'agence, une nouvelle voiture nous attendra devant le perron. J'ai déjà prévenu Mama Jones, il a fait le nécessaire. Pour l'instant, il est hors de question de reprendre la Blazer.

– C'est commode d'avoir un voleur de voitures dans ses relations !

– Pas un voleur. Un receleur. Nuance.

Sur le palier, la porte du bureau arborait l'inscription MCQUARRY ET HINKLE, DÉTECTIVES PRIVÉS sur une plaque de cuivre.

– Belle synchronisation ! s'écria Rawanda à leur arrivée. Le livreur vient d'apporter les pizzas. Bonjour, madame. Salut, cher patron.

Un jean orange et un bustier de même couleur ne laissaient rien ignorer de ses formes avantageuses. Julie lui sourit. Près d'une fenêtre, Hinkle, impeccable dans un pantalon et un sweat-shirt blancs, leva les yeux de son ordinateur :

– Bonsoir, madame Carlson... Bonsoir, Mac.

Le ton était réservé ; Julie se souvint de la contrariété qu'il avait manifestée lorsqu'il l'avait croisée chez son associé.

– Appelez-moi Julie, rectifia-t-elle. Je vais bientôt laisser tomber le « Carlson ». Je demande le divorce.

– Oui, Mac nous l'a dit, intervint Rawanda, compatissante. Sale histoire... Vous devriez manger un morceau avant que Mac avale tout.

L'intéressé s'employait à ouvrir les deux boîtes de pizza, sur le bureau de la jeune fille. Une senteur délicieuse parvint aux narines de Julie, mélange de basilic, de tomate et de fromage fondu. Accaparée par son travail, elle s'était contentée d'une barre de céréales à titre de déjeuner.

Mac lui tendit une part de pizza végétarienne. Un pack de six canettes de Coca trônait à côté sur le bureau ; Mac lui en proposa une, qu'elle accepta. Ce n'était pas du light, qu'elle achetait habituellement, mais après tout, ce soir, elle ne souhaitait plus trop accorder de l'importance au respect de la diététique.

Mac alla ensuite rejoindre Hinkle, toujours penché sur son clavier.

– Le dossier Simmons est-il bouclé ? s'informa-t-il tout en mordant dans sa pizza.

– Oui, répondit son associé après un bref regard en direction de Julie.

Celle-ci capta le coup d'œil qu'échangèrent les deux hommes et crut en deviner la signification cachée : ils ne voulaient pas parler de cette affaire Simmons mais de la sienne. Hinkle, à mots couverts, venait de confirmer à Mac qu'il avait en sa possession les photos de Sid et Amber ensemble.

Cette pensée ne lui inspira qu'indifférence. Au diable Sid et ses misérables intrigues.

– Merci, fit Mac. Alors, quoi de neuf ?

– Tu ne vas pas être déçu, opina Rawanda de sa voix veloutée.

Elle entama une canette de Coca et accepta la part de pizza qu'il lui offrit, bientôt imitée par Hinkle.

– Rand Corporation sert de société écran à toutes sortes

de trafics, commença ce dernier. Certaines de ses filiales exercent des activités tout à fait légales, ou du moins réelles, comme All-American Builders ou le Sweetwater, et d'autres ne sont que des vitrines.

– Rand Corporation est-elle contrôlée par la Mafia ? Tu en as eu la preuve ?

– Et comment !

– Et le père de Julie ? demanda Mac.

– Mike Williams a reçu un salaire régulier de la part de Rand Corporation pendant une durée de onze ans, jusqu'en janvier 1987. Il apparaît sur les bulletins de paie comme chauffeur-livreur.

– On l'a licencié ?

– Impossible à dire. En principe, lorsqu'un salarié quitte l'une des entreprises du groupe, le motif est indiqué dans les dossiers. Mais, dans son cas, rien. Les versements se sont arrêtés du jour au lendemain, sans raison apparente.

– Janvier 1987, dit Mac, c'est le mois où ont disparu Kelly Carlson et Daniel. Quel est le lien ?

– Ça, je l'ignore. Pour l'instant. Mike Williams a cessé de travailler pour Rand Corporation en janvier 1987 et il était toujours en vie à cette date-là. Ensuite, je perds sa trace.

– Il est mort en 1992, précisa Julie.

Mac s'adressa alors à la jeune femme :

– Vous m'avez dit que vous avez revu votre père de-ci de-là jusqu'à votre adolescence, puis que ses visites s'étaient interrompues, et qu'ensuite vous l'avez rencontré une dernière fois. Quand était-ce ?

Julie avala une gorgée de Coca. Même après toutes ces années, il lui était pénible d'évoquer ce père qu'elle avait si peu connu.

– C'était au moment où j'ai remporté le titre de Miss Caroline du Sud, répondit-elle enfin.

– Il faut que vous nous racontiez tout ce que vous savez au sujet de votre père, notamment en ce qui concerne cette dernière entrevue.

28

Julie dévisagea Mac pendant un long moment, sans se décider à poursuivre. En dépit du Coca, elle avait la gorge sèche. Enfin, elle se résigna :

– Je pense que M. Hinkle...

– George, corrigea ce dernier.

– Je pense que George a raison. Mon père était en effet chauffeur de camion, en tout cas c'est ce qu'il nous a dit, à Becky et à moi. Il était tout le temps parti sur les routes.

Elle marqua une pause et regarda Mac, qui l'encouragea d'un signe.

– J'étais très jeune lors du divorce de mes parents. Il y a toujours eu des hommes à la maison, ensuite ; ma mère supportait mal de vivre sans compagnon. Quant à mon père, il ne venait pas souvent nous rendre visite. En fait, il venait surtout quand ma mère l'appelait... quand elle avait besoin d'argent pour nous élever, ma sœur et moi. Alors il arrivait et il lui donnait ce qu'elle lui demandait. Mais je n'ai jamais eu l'impression qu'il roulait sur l'or.

– À quelle époque est-il sorti de votre vie ?

– J'avais quatorze ans.

– Pouvez-vous nous dire ce qui s'est passé plus tard, lors de votre dernière rencontre ?

D'après l'expression de Mac, on voyait qu'il mesurait à quel point il était pénible à la jeune femme d'évoquer ces souvenirs douloureux.

– C'était cinq ans plus tard. Maman et Becky étaient sorties, je ne sais plus où. Il faisait nuit, j'étais dans le living-room. Nous habitions un deux-pièces au rez-de-chaussée d'une petite maison. Je regardais la télévision, quand, subitement, quelqu'un a frappé à la porte. Je suis allée ouvrir. C'était mon père. Je ne l'avais pas revu depuis cinq ans. Il m'a dit : « Salut, Becky », et je lui ai répondu : « Non, moi, c'est Julie. » Il s'est mis à rire : « Oh, bien sûr, excuse-moi. Comment ça va ? » Il avait l'air mal à l'aise, peut-être parce que, de mon côté, je n'avais pas grand-chose à lui dire. Nous avons un peu bavardé de choses et d'autres, je ne me souviens pas bien de notre conversation, et puis il est parti. Il semblait pressé de s'en aller.

Elle s'interrompit encore une fois et ses yeux croisèrent ceux de Mac. Elle trouva la force de continuer :

– Lorsqu'il est parti, je l'ai regardé monter dans son camion. Il s'est retourné et il m'a lancé : « À bientôt, ma petite Becky. » Je ne l'ai plus jamais revu. Quand je suis allée à son enterrement, je n'ai cessé de penser à lui en me disant qu'il était mon père et que, pourtant, il me confondait avec ma sœur.

Soudain, les larmes jaillirent sans qu'elle s'y fût attendue. Gênée, elle ferma les yeux, pendant que Mac lui saisissait doucement la main. Puis il l'enlaça et la serra tout contre lui.

Elle perçut un bruissement derrière elle. Un fauteuil raclait contre le sol.

– Bon, il faut qu'on s'en aille, fit la voix de Hinkle. Mac, tu peux m'appeler quand tu veux.

– Oui, on s'en va, ajouta Rawanda. Bonsoir, tous les deux.

Après leur départ, Julie continua de pleurer en dépit de ses efforts pour contenir son émotion. Durant ce temps, Mac la maintenait blottie contre lui ; elle avait enfoui la tête au creux de son épaule. Enfin, lorsque les larmes se furent taries, il posa une main sur sa nuque et, l'obligeant à lever le visage vers lui, il l'embrassa.

Au contact de sa bouche, les sens de Julie s'embrasèrent. Quand elle lui rendit son baiser, il glissa les mains dans son dos et resserra encore son étreinte. Puis, dans un même élan, ils se débarrassèrent tous deux de leurs vêtements, affamés l'un de l'autre.

– Aimez-moi, Mac, implora-t-elle dans un souffle.

– Je vous aime, Julie...

Allongés sur le divan, leurs corps se mêlèrent et, lorsque la jeune femme cria de plaisir, il ne fit que la posséder davantage, plus âprement encore, avec une sorte de violence désespérée.

Quand ils se séparèrent, ils demeurèrent un long moment sans parler, jusqu'à ce que Julie, méditative, murmure à l'oreille de Mac :

– Il m'a semblé t'entendre dire que tu m'aimais...

Il la contempla quelques instants avant de prononcer lentement :

– Je t'aime à un point qui m'effraie moi-même. Depuis la seconde où je t'ai rencontrée, c'est comme si le soleil était sorti de mon existence. Quand tu apparais, le monde reprend vie. Quand tu souris, j'ai envie de rire. Quand tu pleures, mon cœur se brise. Cela répond-il à ta question ?

– C'est si beau...

– Merci.

– Mais est-ce vrai ?

– Oui, fit-il avec un petit rire.

Ils se redressèrent et, assis côte à côte sur le divan, poursuivirent leur dialogue à voix basse.

– Alors, reprit-elle, explique-moi comment tu as pu me mentir pour m'extorquer des renseignements à propos de mon mari.

– Je te donne ma vie, mon cœur, mon âme, pour ne rien dire de mon corps, et tu n'as toujours pas confiance en moi ? soupira-t-il.

– Si, bien sûr, mais quelques éclaircissements ne seraient pas de trop.

– Comme tu voudras. Au départ, tu le sais, mon déguisement de drag-queen n'avait aucun rapport avec toi et je...

Un coup de sonnette à la porte l'interrompit. Josephine se précipita en poussant des jappements suraigus. Mac et Julie échangèrent un regard et se rhabillèrent en hâte. Une deuxième sonnerie retentit, plus impérieuse que la première. Au moins, songèrent-ils au même instant, ce ne pouvait être le meurtrier, les tueurs à gages n'ayant pas coutume d'avertir ainsi leurs futures victimes.

– Qui est-ce ? demanda Mac à travers le battant, tout en achevant d'enfiler son T-shirt.

Il tenait son revolver à la main, le canon pointé vers le sol. Le cœur de Julie battait à se rompre.

– Ouvrez ! Police !

Julie écarquilla les yeux, puis exhala un soupir de soulagement. Au fond, l'arrivée des policiers n'avait rien d'inquiétant.

– C'est toi, Dorsey ? questionna Mac, l'oreille collée à la porte.

– Oui, c'est moi. Ouvre, McQuarry.

Après avoir vérifié que Julie avait remis vêtements et chaussures, il lui chuchota :

– Tout va bien. Je connais Dorsey. Il est bête mais plutôt brave.

Il rangea son arme dans sa poche arrière, ouvrit le battant et se retrouva face à deux agents en uniforme.

– Que puis-je pour toi ? demanda-t-il, amical, au plus corpulent des deux hommes.

Celui-ci eut une grimace.

– McQuarry, tu es en état d'arrestation.

29

– Tu plaisantes, Dorsey ! se récria Mac, incrédule.

Les deux représentants de la loi secouèrent la tête en même temps.

– Non, fit Dorsey. Allez, ne rends pas les choses plus difficiles. Viens avec nous.

– Vous n'avez pas à m'arrêter ! Et pour quelle raison, d'abord ?

– Coups et blessures, répondit Dorsey. Désolé, McQuarry, on a un mandat. On n'a pas le choix.

– Quoi ?

– Vous avez le droit de garder le silence, récita le second policier. Tout ce que vous direz pourra être retenu contre vous devant un tribunal. Vous avez le droit de faire appel à un avocat. Si vous n'avez pas les moyens de le payer...

– Merci, je connais mes droits, coupa Mac. Bon sang, Dorsey, je suis en pleine enquête ! Tu vois cette jeune femme ? Quelqu'un essaie de l'assassiner et je lui sers de garde du corps.

– Mais oui, mais oui, cause toujours, railla Dorsey, qui sortit ses menottes et les referma d'un geste sec autour des poignets de son ancien collègue.

Ce furent ces menottes qui, plus que tout, permirent à Mac de mesurer la précarité de sa situation. Pendant que le second policier, un dénommé Nichols, entreprenait de le fouiller, Julie s'avança vers eux et lança, menaçante :

– Je vous interdis de lui faire du mal !

– Nous ne lui faisons aucun mal, madame. Ne vous mêlez pas de ça, s'il vous plaît.

– Nom d'un chien, McQuarry ! s'exclama Dorsey.

Nichols venait de lui montrer le revolver qu'il avait découvert dans la poche arrière du jean.

– Mac, dois-je appeler quelqu'un ? s'affola la jeune femme. Qui ?

– Hinkle, répondit-il avant de lui indiquer le numéro personnel de son associé.

– Allez, McQuarry, on y va, et plus vite que ça ! ordonna Dorsey. Ne complique pas les choses, ça ne servirait à rien.

Pendant que les deux hommes l'entraînaient sur le palier, il cria par-dessus son épaule :

– Explique-lui ce qui s'est passé. Dis-lui de venir tout de suite au poste de police n° 73.

Ils le poussèrent sans ménagement vers l'ascenseur et appuyèrent sur le bouton d'appel ; à la grande surprise de Mac, la cabine fit entendre son grincement familier. On avait dû terminer les réparations entre-temps.

Quand la porte coulissa, Julie, Josephine entre les bras, regarda, impuissante, l'homme qu'elle aimait disparaître dans l'ascenseur.

30

Mac était parti. Josephine dans un bras et son sac à main dans l'autre, Julie fixait sans y croire la porte de l'ascenseur.

La jeune femme ne voyait que sa propre image, reflétée par le panneau de métal. Elle était livide.

Elle appuya désespérément sur le bouton d'appel, mais la cabine continuait de cahoter. Trop lente. L'escalier par où elle était arrivée avec Mac se situait sur sa gauche. Elle se ruait déjà vers les marches lorsqu'un bruit suspect l'immobilisa. Quelque chose ou quelqu'un bougeait juste en dessous d'elle, au niveau du palier inférieur.

Ce pouvait être n'importe quoi. Un chat. Une souris. Un tueur à gages.

Du calme, songea-t-elle, les oreilles bourdonnantes.

Il n'existait que deux solutions : l'ascenseur ou l'escalier. L'ascenseur était occupé. Restait l'escalier.

L'ascenseur semblait bloqué au rez-de-chaussée.

Soudain, une silhouette se dressa devant elle, surgissant de la pénombre des marches : un homme d'une cinquantaine d'années.

– Salut, Julie. Comme on se retrouve...

Son nez portait une cicatrice.

Ils étaient armés, il ne l'était plus. Et il avait les poignets menottés.

Sa seule chance de leur échapper était de tirer parti de cet espace confiné.

Inutile d'essayer de leur faire entendre raison. Or, s'il ne réussissait pas à s'enfuir, il irait en prison. Et Julie mourrait.

Arrivé au rez-de-chaussée, l'ascenseur s'arrêta avec un soubresaut. La porte commença à coulisser. Mac, se rappelant ce qu'on lui avait enseigné à l'époque où il appartenait aux Marines, mit à profit ses années d'entraînement en basculant sur une jambe, tandis que l'autre, d'une torsion, venait frapper la tête de Dorsey.

Ce dernier poussa un juron, heurta Nichols, lequel alla percuter la paroi de la cabine. Leurs pistolets tressautèrent sous la violence du choc ; Mac bondit sur les deux policiers et, du tranchant de la main, frappa Dorsey au visage, en dessous du menton, l'envoyant s'affaler sur Nichols. Pendant que Dorsey perdait connaissance, Nichols tenta de se relever mais, empêtré par le poids de son collègue, ne put que retomber à terre, tandis que Mac l'assommait d'un coup de poing sur le crâne.

Le tout ne lui avait demandé qu'une minute. Les deux hommes gisaient enchevêtrés sur le sol de la cabine, inconscients mais vivants. Mac n'avait aucune intention de les tuer. Néanmoins, le simple fait d'avoir neutralisé deux policiers venus l'arrêter le plaçait dans une situation plus que critique. Il décida toutefois d'y réfléchir plus tard, l'important, dans l'urgence, étant de retrouver Julie.

En un éclair, il s'accroupit, fouilla la poche de Dorsey et y trouva la clé des menottes. Une fois les mains libres, il récupéra son revolver dans le holster de Nichols. Enfin, par mesure de précaution, il chercha des yeux un moyen de bloquer les deux policiers, mais l'ascenseur, d'un modèle ancien, ne comportait ni rampe ni barre d'appui. Faute de mieux, Mac résolut d'attacher ses deux adversaires l'un à l'autre, grâce aux menottes, qu'il referma sur eux d'un coup sec – non sans enfouir la clé au fond de sa poche.

Au moins, lorsqu'ils reprendraient connaissance, ils mettraient cinq bonnes minutes à se dégager, en admettant qu'ils aient un double des clés.

Il repoussa vers l'intérieur les jambes de Dorsey, qui obstruaient la porte coulissante, et, regagnant la cabine, remonta, avec les deux policiers toujours inanimés, à l'étage de l'agence.

Arrivé sur son palier, il scruta les alentours. Personne. Julie avait dû se réfugier dans le bureau, dont la porte était demeurée ouverte.

Il entrebâilla le battant de bois, passa la tête à l'intérieur.

– Julie ?

Pas de réponse. Tout était resté intact : les lumières allumées, les ordinateurs branchés, les boîtes de pizzas et les canettes de Coca éparpillées sur le bureau de Rawanda.

Mais aucune trace de Julie.

– Julie !

Son sang ne fit qu'un tour quand il pressentit la vérité.

Du regard, il chercha le sac à main. En vain. Lui aussi avait disparu, ce qui confirmait ses pires craintes.

Il dévala l'escalier, atteignit le perron de l'immeuble. Devant le porche, la voiture promise par Mama Jones n'était pas encore arrivée. Tant pis. Mac n'avait pas le choix. Il se précipita vers la Blazer.

Du coin de l'œil, il aperçut au bout de la rue une voiture de couleur foncée, noir ou bleu marine, qui s'éloignait vers le nord. Le seul véhicule à rouler dans le quartier à cette heure tardive.

Il s'engouffra dans la Blazer, mit le contact et démarra en trombe, dans le sillage de l'automobile qui emmenait Julie.

Au moment où il dépassait l'immeuble de l'agence, une minuscule silhouette blanche attira son attention sur le trottoir.

Il freina en catastrophe, ouvrit la portière à toute volée.

– Viens, Josephine.

31

– Quel effet ça te fait de savoir que tu vas mourir ce soir, Julie ?

Le ton de Sid était d'une indifférence glaçante. La jeune femme sentit une boule se former au creux de son estomac. Sid l'avait guettée dans la rue, à l'intérieur d'une voiture bleu marine qu'elle n'avait jamais vue auparavant, avant que l'homme au nez abîmé – elle avait entendu son mari l'appeler Basta – l'entraîne de force hors de l'immeuble de l'agence.

C'était Sid qui tenait le volant ; il se dirigeait vers le nord, sur une petite route de campagne plongée dans l'obscurité. Julie était assise à sa droite. Sur la banquette arrière, Basta gardait le silence. Son pistolet luisait dans la pénombre. Sid et le tueur à gages : Mac avait raison sur toute la ligne.

– Tu ne peux pas souhaiter ma mort, Sid. Tu te souviens comme nous nous sommes aimés... Il en reste quelque chose, non ?

Elle déployait des efforts surhumains pour ne pas hurler de terreur. À chaque instant, elle redoutait que les mains du meurtrier se resserrent autour de son cou, ou qu'il ouvre le feu sur elle.

Elle se demandait laquelle des deux solutions était la plus brève, la moins douloureuse.

– Je ne t'ai jamais aimée, pauvre idiote ! ricana Sid. Je l'ai peut-être cru, à une époque, mais tout ce que je souhaitais, en réalité, c'était de te baiser. Et maintenant, je n'en ai même plus envie.

Ces paroles la blessaient moins qu'il ne l'espérait. Il y avait longtemps qu'elle avait fait son deuil de Sid. Elle avait cessé d'entretenir des illusions à son sujet et le voyait désormais tel qu'il était : un être cruel, qui ne se préoccupait que de lui-même.

– Tu te rappelles notre première rencontre ? plaida-t-elle en désespoir de cause. C'était à la réception du gouverneur, après que j'ai été élue Miss Caroline du Sud. Tu te souviens comme nous avons parlé, ce soir-là ? Des heures entières. Tu voulais tout savoir de moi. Je crois que c'est là que je suis tombée amoureuse de toi.

Les mots étaient la seule arme dont elle disposait pour tenter de se défendre, de sauver sa vie. Au-dehors, les ténèbres environnantes semblaient emprisonner la voiture dans un carcan. De grands arbres apparaissaient de temps à autre sur les bas-côtés, brièvement éclairés par les phares. Sid conduisait vite, trop vite pour les virages de la route.

– Tu n'as vraiment rien compris, pauvre gourde ! Si nous nous sommes rencontrés ce soir-là, ce n'est pas par hasard. Tu t'imagines que je hante ce genre de sauteries ? Que je m'intéresse à ces ineptes concours de beauté ? Allons, redescends sur terre, Julie. J'étais là pour la bonne raison que je te cherchais.

– Mais pourquoi ?

– À cause de ton père. Il avait travaillé pour nous à une époque et il nous a volé quelque chose, à mon père et à moi. Il fallait que je récupère ça à tout prix. On m'avait affirmé que tu savais où il l'avait caché. Alors, si j'ai tout voulu savoir à ton sujet, ce soir-là, c'est parce que j'espérais que tu pourrais me l'apprendre, ne serait-ce que par un détail, un indice. Tu ne m'as rien révélé d'intéressant mais j'ai pensé que, à la longue, tu finirais bien par m'en parler un jour ou l'autre.

– Tu m'as fait la cour à seule fin de récupérer ce que

mon père t'avait pris ? demanda-t-elle, éberluée. De quoi s'agissait-il ?

Basta émit une protestation, derrière la jeune femme, et Sid échangea un coup d'œil avec lui dans le rétroviseur.

– Je n'ai pas à te le dire, lâcha-t-il. En tout cas, c'était assez important pour que je prenne la peine de tourner autour de ta petite personne. Et puis tu étais jolie, tu avais dix bons kilos de moins qu'aujourd'hui, et je te désirais. Mais tu refusais, tu ne voulais pas de relations sexuelles avant le mariage. J'ai confondu l'attirance physique et l'amour, et je t'ai épousée. Je pensais que tu me parlerais de ce que je cherchais quand tu te sentirais en confiance, avec le temps, mais non. Peu à peu, je me suis rendu compte qu'en réalité tu n'étais au courant de rien. C'est toute l'histoire de ta vie, Julie. Tu ne sais rien, tu ne comprends rien. Et, comme tu ne m'inspires plus de désir, il ne me reste plus qu'à te jeter. Tu ne mérites pas mieux.

À travers ces propos haineux, la vérité prenait forme dans l'esprit de Julie ; divers incidents lui revenaient en mémoire, ainsi que différents aspects du comportement de son mari. En proie au vertige, elle se remémora entre autres son étrange manie, au début, de l'interroger sur sa vie, sans jamais rien dévoiler sur lui-même. L'intérêt qu'il montrait envers l'histoire du père de Julie. L'attitude méprisante qu'il manifestait à l'égard de sa « famille de loqueteux » et qui n'avait fait que s'aggraver au fil des années.

– Et ton Viagra ? railla-t-elle. Je sais que tu l'utilises avec Amber. Est-ce qu'il te sert aussi pour les filles du Sweetwater ?

– Pauvre imbécile ! Ce n'est pas pour courir les filles que je vais au Sweetwater. Depuis que nous l'avons acheté, j'y passe plusieurs soirs par semaine pour ramasser l'argent liquide. Tu ignorais même que nous possédions le Sweetwater, je parie... En tout cas, les deux dernières fois que j'y suis allé, c'était à cause de toi : je me forgeais un alibi pendant que notre ami, là, derrière, sur la banquette, pénétrait dans la maison par effraction pour t'éliminer. Sauf que tu lui as échappé les deux fois... Hein, Basta ? ajouta-t-il à l'intention de son homme de main. Tu as dû te sentir tout drôle quand elle t'a mordu le nez... Après quoi tu t'es trompé de fille. Enfin, ce n'est pas grave, conclut-il avec bonne humeur, nous allons réparer cet oubli dès ce soir.

– Oui, je me suis senti stupide...

C'était la première fois que le tueur prenait la parole depuis que Julie était montée à bord du véhicule et le simple son de cette voix la fit grincer des dents.

– Aussi stupide, enchaîna Basta, que lorsque vous vous êtes aperçu qu'elle vous trompait avec le petit frère de Daniel...

Daniel, le frère de Mac, songea Julie. Daniel, qui avait disparu en même temps que la première Mme Carlson.

– Et Kelly ? Tu l'as tuée, Sid ? interrogea-t-elle.

– Non, répondit Basta. C'est moi. Comme j'ai tué Daniel. Et votre père. Et maintenant, je vais vous tuer. Sid, il faudrait ralentir. La route est par là, sur la gauche.

Julie eut la sensation que son cœur s'arrêtait de battre. Quand la voiture obliqua sur un chemin de terre, à gauche, elle eut du mal à respirer. Les poings serrés, elle essaya désespérément de trouver des arguments susceptibles de fléchir ses deux ravisseurs.

– La police va partir à ma recherche. Il y avait deux policiers avec Mac. Ils vont se demander ce que je suis devenue. Et Mac leur expliquera que c'est toi, Sid. Que tu m'as kidnappée.

– Vous croyez ? ironisa Basta.

– Quelle crétine ! s'exclama Sid. Ces deux flics, c'est moi qui les ai envoyés cueillir ton petit copain. Ils ne travaillent pas seulement pour la municipalité, mais aussi pour nous. À vrai dire, je ne serais guère surpris que McQuarry fasse une mauvaise chute dans l'escalier. Un accident est si vite arrivé... Ou bien il se peut qu'on l'abatte lors d'une tentative d'évasion.

Basta s'adressa alors à son employeur :

– Votre voiture est là, droit devant. Garez-vous juste à côté. Ensuite, vous pourrez partir. Je me charge du reste.

Sid, docilement, freina en bordure du chemin, à la hauteur d'une Lexus verte – celle-là même qu'il conduisait lorsqu'il avait rattrapé Julie près de sa boutique. Juste au-delà, s'étendait une clairière. La jeune femme frissonna de tout son corps. Que faire ? Elle n'en avait pas la moindre idée.

Agrippés à la poignée de la portière, ses doigts tentèrent d'actionner l'ouverture.

– Impossible ! persifla Sid. J'ai mis la sécurité enfants.

Du coin de l'œil, elle nota que Basta se déplaçait latéralement sur la banquette arrière.

Julie, effondrée, s'était mise à prier.

Elle avait encore le visage enfoui dans ses mains lorsqu'elle entendit le coup de feu.

32

La lune se levait au loin dans un ciel exempt de nuages. Mac l'entr'apercevait de temps en temps, à la faveur d'une trouée entre les arbres de la route. Il roulait tous phares éteints, pour ne pas se faire remarquer, à quelques dizaines de mètres de la voiture bleu marine, dont les feux arrière lui servaient de point de repère.

La forêt était dense, la route sinueuse. Il se concentrait sur son itinéraire, avec le clair de lune pour seule source de lumière.

Par deux fois, il avait tenté de joindre Hinkle sur son portable et, les deux fois, il était tombé sur son répondeur.

Enfin, il s'était résigné à avertir la police. On avait dû découvrir les malheureux Dorsey et Nichols, à l'heure qu'il était, et l'ensemble des enquêteurs de l'État de Caroline du Sud étaient probablement sur la brèche, lancés à sa poursuite. Il savait d'expérience que ses anciens collègues n'étaient pas du genre à lui pardonner de sitôt son évasion.

Sans aucun doute, ils étaient à ses trousses.

Il avait donc appelé son ancien supérieur hiérarchique, le capitaine Greg Rice, en lui expliquant la situation et en lui indiquant l'endroit où il se trouvait. Ensuite, une fois qu'il avait atteint la route de campagne, la forêt avait produit des interférences dans la communication et le téléphone cellulaire s'était tu.

Greg Rice, plus que les autres, lui inspirait confiance. Du

moins en principe. Cependant, même en admettant que le capitaine fût quelqu'un de fiable, Mac se heurtait à deux difficultés. D'abord, l'officier avait paru sceptique à l'écoute de son récit. Ensuite, la route qu'il empruntait au moment où il parlait avec son ancien supérieur n'avait cessé de bifurquer depuis plusieurs minutes ; Mac n'était plus certain d'avoir conservé la même direction.

Sur sa gauche, les feux arrière disparurent derrière une rangée de hautes frondaisons, au tournant d'un chemin de terre qu'il faillit ne pas voir. Il effectua un virage en catastrophe, pour rebondir sur un dos-d'âne si abrupt que sa tête heurta le plafond de son véhicule.

– Pardon, Josephine, dit-il au caniche, qui avait atterri sur le sol.

Il roulait maintenant aux abords d'une clairière. Devant lui, sous la lumière de la lune, une Ford Taurus couleur bleu marine freinait à proximité d'une Lexus verte. À son tour, il coupa le moteur.

Courbé en deux dans l'épaisseur des taillis, le revolver brandi devant lui, Mac s'approcha sans bruit. Il distinguait trois personnes à l'intérieur de la Taurus. Julie était assise à l'avant, côté passager, la tête appuyée contre la vitre.

Soudain, un coup de feu claqua à l'intérieur de l'habitacle. Mac se précipita, toujours avec précaution, puis ouvrit à la volée la portière de droite. Au même instant, retentit une deuxième détonation.

Julie tomba plutôt qu'elle ne sortit de la Taurus, les yeux agrandis par la peur, et s'écroula dans l'herbe avec un hurlement.

L'espace d'une fraction de seconde, la jeune femme demeura inerte. Elle ne s'aperçut qu'elle criait qu'au moment où le visage de Mac se découpa sur le ciel étoilé. D'une main, il lui saisit le poignet, tandis que résonnait un troisième coup de pistolet. Elle frémit. Contre toute attente, elle était encore en vie.

– Vite ! lui intima-t-il.

Sautant sur ses pieds, elle obtempéra et s'éloigna de la voiture au pas de course, aiguillonnée par la peur. De son côté, Mac s'efforçait tant bien que mal d'échapper au tir de Basta, qui avait quitté le véhicule et s'élançait à la poursuite des deux fugitifs.

Une demi-minute plus tard, tous deux arrivaient devant la Blazer.

– À l'intérieur, tout de suite ! cria Mac.

Ils s'y engouffrèrent en même temps et claquèrent les portières. Basta progressait toujours derrière eux, courant à perdre haleine, tirant dans leur direction. Puis il disparut de leur vue. Mac démarra sur les chapeaux de roue.

– Il a tué Sid ! souffla-t-elle.

Elle revoyait encore la scène d'épouvante : la première balle avait touché Sid en pleine tête. Il s'était effondré sur le volant, dans une mare rouge sombre. L'odeur âcre du sang avait envahi l'atmosphère. Ensuite, Basta avait braqué son arme sur elle...

– Qui ? Qui a tué Sid ?

Soudain, un tir nourri s'abattit sur la Blazer, mitraillant la carrosserie, pulvérisant le pare-brise, et des centaines de fragments de verre tourbillonnèrent devant eux. En regardant par-dessus son épaule, Mac opéra un virage pour parcourir le chemin de terre en marche arrière.

– Qui a tué Sid ? répéta-t-il.

– Basta ! Le tueur à gages ! Celui dont j'ai mordu le nez !

Un nouveau coup de pistolet atteignit de plein fouet la Blazer et enfin, subitement, tout s'arrêta. Soudain, plus rien. Ce silence inattendu était presque plus inquiétant que les salves qui l'avaient précédé.

Prudemment, Julie releva la tête. Étaient-ils désormais hors de portée de Basta ? De toutes les fibres de son être, elle avait la certitude que l'assassin ne renoncerait pas à les pourchasser. Elle s'aperçut qu'elle tremblait comme une feuille.

– Ce Basta... est-ce lui qui tire sur nous ?

– Oui.

Toujours en marche arrière, toujours les phares éteints, la Blazer continuait sa difficile progression sur le sentier cahoteux. Les hautes futaies, de part et d'autre du chemin, obscurcissaient la vue. Julie se demandait comment Mac parvenait à se diriger.

– Comment as-tu pu échapper à ces deux policiers ? questionna-t-elle dans un chuchotement.

– J'ai réussi à les ramener à la raison, répondit-il d'un ton vague.

– C'étaient des flics véreux. Ils étaient payés par Sid.

– Je m'en doutais plus ou moins.

Par miracle, ils se maintenaient sur le sentier sans dévier vers les talus. Tout à coup, le halo lumineux d'une paire de phares s'interposa entre la Blazer et la route. Un véhicule avançait droit vers eux. Impossible pour Mac d'effectuer un demi-tour, en raison de l'étroitesse du chemin de terre.

Ils étaient bloqués.

– Non ! gémit la jeune femme.

– Accroche-toi !

La Blazer vira à angle droit sur sa gauche, entre deux troncs, et se retrouva à couvert des arbres.

Sur le sentier, la voiture continua sans s'arrêter ; le conducteur ne les avait pas aperçus.

Julie recommençait à respirer normalement, soulagée, lorsque la Blazer plongea tête la première dans une sorte de fosse. Sous le choc, la jeune femme se sentit projetée vers l'avant.

– Vite ! ordonna Mac. La voiture arrive ! On sort de là !

Ils jaillirent de la Blazer et s'élancèrent à travers bois, sachant que le tueur qui les traquait rôdait dans les parages, prêt à ouvrir le feu une nouvelle fois.

Dans les ténèbres de la forêt, Julie dérapa sur un rocher

et faillit perdre l'équilibre. Une fraîcheur saturée d'humidité les enveloppait, envahie de moustiques et d'odeurs d'herbe mouillée.

Au seul bruit de son souffle, Julie comprit que Mac n'était pas en aussi bonne forme qu'elle l'avait cru. Sa respiration devenait rauque, laborieuse.

C'était un râle d'agonie.

– Mac...

Il trébucha et n'évita la chute que parce qu'elle s'accrocha à lui en le soutenant tant bien que mal.

– Il faut retourner sur nos pas, murmura-t-elle.

Ils venaient de pénétrer dans une zone marécageuse où leurs pas s'égaraient dans une boue visqueuse. Quelques mètres plus loin, ils s'enfoncèrent jusqu'aux genoux. Ils percevaient des bruissements, des frôlements – de nombreux animaux sauvages vivaient en ce lieu –, et, de-ci de-là dans la nuit, des yeux brillaient, à l'affût. Sans doute des chiens errants.

– On ne peut pas, haleta-t-il. Regarde.

À quelques mètres d'eux, le halo de la lune illuminait la silhouette sombre de la Blazer. Ils avaient tourné en rond.

– Josephine ! s'alarma Julie.

– Ne t'inquiète pas, personne n'en a après elle. Il vaut mieux continuer vers le marais, en priant pour que Basta n'ait pas l'idée de venir par ici.

Leurs pas faisaient entendre un son caoutchouteux à mesure qu'ils progressaient dans la fange. Soudain, Mac tomba sur les genoux. Lorsque la jeune femme l'aida à se relever, elle constata qu'elle avait la main couverte de sang.

– Mon Dieu ! Mac, tu es blessé !

33

C'était son avenir qui était en jeu. Sa vie, même. Basta ne se berçait plus d'illusions.

Il lui fallait rattraper Julie Carlson et l'envoyer rejoindre son mari dans l'au-delà. Quant à l'homme qui l'avait arrachée à ses griffes pour la seconde fois, il ne perdait rien pour attendre. Maintenant, Basta connaissait son identité : le frère cadet de Daniel.

La femme de Sid et un McQuarry : cela avait un petit air de déjà vu.

Toutefois, d'autres priorités s'imposaient à lui dans l'immédiat.

– Comment est-ce arrivé ?

Le Big Boss semblait bouleversé. Ses yeux étaient emplis de larmes. Il s'écarta de la Taurus et dut s'appuyer contre le coffre de la Lexus pour ne pas chanceler.

– Mon fils... Mon fils...

– Il est arrivé comme ça, monsieur Carlson... ce type, Mac McQuarry. On ne l'a pas vu venir. Dorsey et Nichols avaient l'ordre de l'éliminer, en principe, mais ils ont dû avoir un problème. On n'a remarqué sa présence que quand il a surgi de nulle part, pour faire sortir la fille de la voiture. C'est là qu'il a tiré sur votre fils. J'ai tiré sur lui à mon tour mais il a filé vers les bois. Ils sont là-dedans, tous les deux. On les aura, monsieur Carlson, je vous en donne ma parole.

– Ta parole ? Elle ne m'inspire plus confiance, ces derniers temps. Si tu avais fait correctement ton travail, on n'en serait pas là. Cette petite garce serait morte depuis plusieurs jours et rien de tout ceci ne serait arrivé...

Le regard de John Carlson était froid comme l'acier. Basta lui avait déjà vu cette expression. Et ceux que visait cette colère glacée n'étaient plus là pour en témoigner.

Carlson se tourna vers l'un de ses acolytes, qui attendait ses instructions :

– Demande tout de suite des hommes en renfort. Dis-leur qu'on a besoin de fouiller la forêt. Qu'ils passent ce périmètre au peigne fin. Je veux qu'on retrouve ces deux fuyards au plus vite. Et je ne veux plus de bavures.

– Oui, monsieur, répondit l'homme, qui empoigna son portable afin de transmettre les ordres.

Basta avait pris la bonne décision, il en était désormais convaincu. Jusqu'à présent, il avait un peu hésité. S'il échouait, c'en serait fini de lui. Mais le visage du Big Boss lui indiquait que, de toute façon, il avait déjà perdu la partie. Sauf s'il adoptait les mesures nécessaires pour sauver sa peau.

John Carlson, le chef des chefs, le cerveau qui dirigeait l'organisation criminelle la plus redoutable de la côte est, ne voulait plus entendre parler de lui. Et Basta savait ce que cela signifiait.

Il se mordilla l'ongle du pouce, songeur.

– Excusez-moi, il faut que j'aille faire un tour, dit-il au patron avant de s'éloigner en direction des arbres.

S'il avait pu continuer sa route et leur fausser compagnie, les choses auraient été simples. Mais, de cela, il n'était pas question : le Big Boss saurait toujours où le retrouver. Quand il retourna auprès de Carlson, il ajusta un silencieux au canon de son pistolet.

Il avait commencé par éliminer Sid afin de recouvrer sa liberté vis-à-vis de l'organisation. Julie Carlson devait le suivre aussitôt dans un monde meilleur, non parce qu'on l'avait payé pour cette tâche – cela ne comptait plus, à ce stade – mais parce qu'elle risquait de l'identifier.

Rien de tout cela ne serait arrivé si, au départ, ils n'avaient pas laissé Mike Williams leur échapper, quinze ans plus tôt. Après la mort de Daniel, Williams avait pris la fuite. Personne ne savait qu'il s'était emparé de ce qu'ils recherchaient par tous les moyens – Williams n'était guère qu'un comparse, après tout –, mais le fait qu'il se fût volatilisé aurait dû leur mettre la puce à l'oreille.

Il passa un bras amical autour des épaules du Big Boss et fit quelques pas avec lui en l'écoutant parler de son fils ; il acquiesçait, compatissant. Un jour, Carlson lui avait cité un proverbe : « Sois proche de tes amis, mais sois encore plus proche de tes ennemis. »

Ce soir, le Big Boss était son ennemi et Basta avait la ferme intention de ne pas le quitter d'une semelle. La nuit promettait d'être longue. Il lui faudrait abattre Carlson pour assurer sa propre survie. Avant même que McQuarry eût surgi aux abords de la Taurus, Basta avait établi son programme : d'abord Sid et Julie, puis, sur le chemin du retour, John Carlson.

Sid avait compromis ses beaux projets en lui téléphonant un peu plus tôt dans la journée ; écumant de rage, il lui avait expliqué que sa femme le trompait avec le frère cadet de Daniel. Selon leurs arrangements, Sid devait se rendre à Atlanta afin de se fabriquer un alibi pendant que Basta se chargerait du travail, et puis, sans crier gare, il avait changé d'avis et décidé de rester à Charleston. Ensuite, dans la soirée, il avait dû appeler son père, qui avait surgi au milieu des bois accompagné de quelques comparses, ce à quoi Basta n'était en rien préparé.

L'important, c'était de garder la tête froide. Les acolytes du patron lui témoignaient une loyauté sans faille – à l'instar de Basta, autrefois – et tous étaient armés jusqu'aux dents.

S'il voulait rester sur cette terre, Basta devait éliminer le Big Boss, Mac McQuarry et Julie Carlson.

Ensuite seulement, Roger Basta serait un homme libre.

34

– Je vais bien, dit Mac, mais Julie se doutait qu'il lui mentait.

Chaque minute qui passait le mettait au supplice. La boue qui collait à leurs semelles transformait chacun de leurs pas en épreuve. La jeune femme priait pour qu'il trouvât la force de poursuivre en dépit de sa blessure.

Derrière eux, une lueur se rapprochait de seconde en seconde. Sans doute la lampe torche de celui qui les traquait sans relâche.

Ils n'y arriveraient pas, se dit-elle. Le chemin qu'ils avaient emprunté ne menait nulle part, elle en avait d'instinct la certitude.

– Ça ne rime à rien de continuer... Il faut nous cacher, acheva-t-elle dans un souffle.

– Laisse-moi ici.

– Si tu t'imagines que je vais t'abandonner sur place, tu te trompes.

– Julie...

– Ne discute pas. Il est hors de question que je parte de mon côté. Et puis, de toute manière, je n'ai aucune chance de m'en sortir seule.

Il ne répondit rien, devinant qu'elle avait raison. Jetant un coup d'œil par-dessus son épaule, Julie constata que plusieurs sources de lumière grossissaient à toute vitesse derrière eux.

– Les arbres. Nous pourrions nous réfugier entre les troncs, là-bas.

– Bonne idée.

Il s'exprimait d'une voix si faible qu'elle avait du mal à l'entendre. À grand-peine, toujours enlacés, ils parvinrent à un bosquet dont les basses frondaisons leur offraient un abri inespéré.

– Tu es blessé grièvement ? chuchota-t-elle une fois qu'ils se furent rencognés au creux de la végétation.

– Oui, mais ce n'est pas mortel.

Julie s'humecta les lèvres, affolée ; elle devinait qu'il minimisait la gravité de son état.

– Où as-tu mal ?

– Dans le dos, sous l'omoplate droite.

Avec difficulté, la jeune femme réussit à localiser la plaie – brûlante, ruisselante de sang.

Autour d'eux, les eaux dormantes du marigot laissaient parfois entendre de faibles bruits. Une grenouille plongea, puis tout retomba un instant dans le silence.

– J'ai peur, avoua Julie sans pouvoir réprimer un tremblement.

– On s'est bien débrouillés jusqu'ici, tu ne crois pas ? Alors on va s'en tirer.

– On dirait que tu as pris l'habitude, ces derniers temps, de me sauver la vie.

– J'estime que cela en vaut la peine, sourit-il. Écoute, la police devrait être en route, à l'heure qu'il est. J'ai averti mon ancien capitaine, un homme sûr. Ils ne devraient pas tarder à arriver.

Il s'efforçait de lui redonner du courage, songea-t-elle. Pour sa part, elle se sentait loin de partager son optimisme.

– Mac, reprit-elle, ton frère, Daniel...

– Oui ? fit-il, la gorge sèche.

– Dans la Taurus, Basta a dit qu'il l'avait assassiné. Il a également tué Kelly Carlson. Et mon père.

Il demeura silencieux, puis :

– A-t-il dit comment il l'avait tué ?

– Non. Sid a expliqué que mon père leur avait volé quelque chose, à lui et à John Carlson. Il n'a pas précisé de quoi il s'agissait. Mais j'ai eu l'impression que c'est pour cette raison qu'ils ont éliminé mon père.

– Il a dit autre chose ?

– Il m'a jeté au visage qu'il ne m'avait jamais aimée et qu'il ne m'avait épousée que pour récupérer ce fameux objet que mon père aurait emporté. Il avait l'intention de me tuer depuis des années.

– Sid a toujours été un idiot.

Juste devant eux, une masse sombre se faufila dans l'épaisseur des fourrés ; on entendit un petit gémissement, suivi d'un claquement de mâchoire.

– Un alligator, commenta Mac. Il a dû capturer une proie. Ne t'inquiète pas, il chasse plus haut du côté des marécages, il ne va pas venir par ici.

À moitié rassurée, la jeune femme s'exhorta à penser à un autre sujet.

– Comment as-tu fait la connaissance de Sid ?

– Oh, c'est une longue histoire. Sid était le meilleur ami de Daniel. Notre père, qui était policier, est mort assassiné par des truands quand Daniel avait treize ans, et moi cinq. John Carlson a financé une bourse pour couvrir les frais de scolarité de mon frère, dans un collège très chic et très cher où Sid était pensionnaire... Je crois que la disparition de Daniel a tué notre mère. Et j'ai toujours supposé que, sur ce point, Sid en savait beaucoup plus long qu'il ne le prétendait.

– Tu étais très attaché à Daniel, n'est-ce pas ?

– C'était mon frère.

Elle se tourna vers lui et lui effleura les lèvres d'un baiser.

– Je t'aime, Mac.

– Je t'aime, Julie, chuchota-t-il. Je t'aime plus que tout au monde.

Les mains derrière la nuque de Mac, elle se blottit tout

contre lui, en prenant garde à ne pas appuyer sur sa blessure, et il lui rendit son baiser. Soudain, il s'écarta d'elle en mumurant :

– Attention... Quelqu'un arrive.

Entre les troncs d'arbres, Julie discerna le faisceau lumineux d'une lampe torche.

35

Au loin, Basta entendit le hurlement de terreur de Julie. Tous ses sens étaient aux aguets. Il se tenait au bout de la clairière, en surplomb du lac. La vue était belle, avec les étoiles qui scintillaient sur la surface de l'eau.

Des renforts étaient arrivés. En tout, quatre hommes étaient partis dans la forêt à la recherche des deux fugitifs. En dehors de Basta, seul un comparse, un certain Stark, se trouvait auprès du Big Boss, en guise de garde du corps.

– On dirait qu'ils les ont rattrapés, annonça Basta à John Carlson, qui demeurait immobile près de lui, les joues ruisselantes de larmes.

N'eût été le danger que représentait pour lui le patron, Basta, en cet instant, aurait éprouvé à son égard quelque chose qui ressemblait à de la pitié.

Or il connaissait la règle du jeu : le vainqueur était toujours celui qui dégainait le premier. Toujours.

Basta aurait préféré que tous les acolytes s'en aillent et laissent Carlson à sa merci, mais ce dernier avait enjoint à Stark de rester. En outre, les quatre autres allaient réapparaître sous peu, escortant leurs prisonniers.

Il fallait donc agir très vite.

– Dis-leur de revenir, ordonna le Big Boss à son homme de main.

Celui-ci composa un numéro sur son portable.

– C'est drôle comme on a des surprises, quelquefois, remarqua Basta sur le ton de la conversation.

Il recula d'un pas tout en prononçant ces paroles, leva son pistolet, visa et fit feu, droit dans la tête. Le Big Boss s'écroula sur place, sans un bruit. Trois secondes plus tard, Basta tira sur Stark, qui s'effondra à son tour, le téléphone encore à la main.

Facile. Rapide. Du beau travail.

Basta ramassa le portable et vérifia que Stark n'avait pas eu le temps de former tous les chiffres, puis il le fourra au fond de sa poche. Après quoi il attrapa les deux corps par les chevilles et les traîna l'un après l'autre vers le lac, sur le promontoire. De là, il lui suffit d'une poussée pour les faire basculer dans l'eau.

– Ce mec pèse des tonnes, maugréa l'un des renforts. On aurait mieux fait de l'abattre et de l'abandonner dans les marais.

– C'est les ordres du patron, répliqua son complice en soulevant Mac par les aisselles. Il le veut vivant, alors y a pas à discuter.

Les deux autres arrivèrent à la rescousse et les aidèrent à déplacer celui qu'ils avaient frappé au point de lui faire perdre connaissance.

Lorsque la lueur des lampes avait balayé leur abri de fortune, Mac avait repoussé Julie derrière lui afin d'ouvrir le feu. Hélas, à la consternation de la jeune femme, son revolver n'avait pu émettre qu'un sinistre cliquetis : le barillet était vide. Alors, courageusement, Mac s'était élancé au-devant de ses quatre adversaires pour les affronter à mains nues.

Ils s'étaient à leur tour rués sur lui, en le bourrant de coups de poing, de coups de pied, pour terminer avec des coups de crosse de pistolet. Ils ne s'étaient calmés que lorsqu'ils l'avaient laissé inerte sur l'herbe détrempée.

Maintenant, ils marchaient en procession dans les bois. Trois hommes portaient Mac, le quatrième surveillait Julie.

Pour elle et pour Mac, comme pour Sid, cette nuit était la dernière, songea la jeune femme.

– Allons ! On avance, plus vite que ça !

D'une gifle sur la nuque, l'homme la força à accélérer.

Dans la clairière, Julie avisa plusieurs voitures, dont la grande BMW grise de son beau-père, garée à côté de la Lexus. Quelques pas plus loin, une petite forme blanche surgit de l'ombre et s'approcha de la jeune femme en trottinant. Josephine.

La clairière se terminait par un promontoire en surplomb d'un lac, constata Julie à mesure que ses geôliers l'entraînaient vers une rangée d'arbres. Le lac Moultrie, conclut-elle. Sid et Basta l'avaient emmenée au nord de la ville et le lac se situait dans cette direction.

C'était là que son père avait trouvé la mort, en se noyant au cours d'une partie de pêche, lui avait-on raconté à l'époque. Tout le monde avait cru à un accident.

Un homme guettait leur arrivée. Une haute silhouette. Une carrurc massive. Il brandissait un pistolet.

Julic n'avait nul besoin de le voir de plus près pour reconnaître Basta.

– Où est le patron ? questionna l'un des hommes.

– Il est allé pisser, expliqua Basta, qui s'avança d'un pas à leur rencontre. Salut, Julie...

Il jeta un coup d'œil sur Mac, toujours inconscient, que les autres posèrent sans ménagement sur le sol, comme un paquet inutile :

– Il est mort ?

– Non, mais ça vaut pas beaucoup mieux. On lui a cogné le crâne à coups de crosse, on a peut-être tapé un peu fort...

– Où est Stark ? interrogea l'un des hommes.

– Avec le Big Boss, répondit Basta, ce qui n'était que

pure vérité. Pourquoi ? Tu crois que le patron est assez fou pour aller pisser tout seul, dans ce trou à rats ?

Le pistolet de Basta s'agita en direction de Julie ; ses yeux s'étaient rétrécis. La jeune femme, qui devinait ce que signifiait cette mimique, décida de tenter le tout pour le tout.

– Je sais où se trouve ce que mon père vous a volé, débita-t-elle d'une seule traite.

Basta la toisa de toute sa hauteur :

– Vous ne savez même pas ce que c'est.

36

– J'ignore peut-être de quoi il s'agit, mais je sais où le trouver, affirma Julie.

Avant tout, il fallait essayer de gagner du temps.

Hésitant, Basta la considéra un moment, puis son attention se porta sur l'homme qui la maintenait prisonnière et lui agrippait les cheveux pour l'empêcher de bouger :

– Les gars, allez donc attendre le patron dans les voitures. Il faut que j'aie une petite conversation avec cette dame.

Julie s'aperçut qu'elle avait les mains qui tremblaient. Elle se demanda où ce bluff allait la mener.

– Asseyez-vous, lui ordonna Basta.

Elle obtempéra et se laissa choir, à bout de forces, sur l'herbe de la clairière. Tout près d'elle gisait Mac, inanimé, le visage tuméfié ; elle nota cependant que ses paupières frémissaient.

Pourvu qu'il reprenne vite conscience, pria-t-elle en son for intérieur.

– C'était pas prévu comme ça, objecta l'homme en fixant Basta droit dans les yeux.

– Je sais, mais il y a des choses que vous n'avez pas à entendre, vous autres. Ordre du patron. Sinon, vous devinez ce qui vous attend...

– Ouais, bon, OK, ça marche comme ça.

Les quatre hommes, s'étant consultés du regard, se résolurent en fin de compte à s'éloigner vers les voitures, derrière le rideau d'arbres.

– Alors, reprit Basta quand ils furent seuls, où est-ce ?

– Il faudrait que je vous montre l'endroit.

Basta sourit et agita son pistolet dans sa direction.

– C'est dur à décrire, continua-t-elle d'une voix blanche. Il vaut mieux que je vous conduise sur place.

– Vous auriez tout intérêt à essayer, si vous voulez mon avis.

– Si je vous l'explique, vous me laisserez partir ?

– Bien sûr. Pourquoi pas ? Moi, je n'ai rien de personnel contre vous. C'était Sid qui voulait votre peau, moi je n'ai fait qu'obéir. Ça l'ennuyait de divorcer, ça fait toujours mauvais effet dans le milieu. Et en plus, ça coûte une fortune.

La jeune femme pressentait qu'il lui mentait mais, puisqu'il paraissait disposé à parler, elle décida d'en apprendre davantage.

– Est-ce pour cette raison que Kelly est morte ? Parce qu'elle souhaitait divorcer de Sid ?

– Mais non. Kelly a fait une grosse bêtise. Elle aussi, elle pensait que Sid la trompait. Alors elle a voulu en savoir plus. Elle a installé un magnétophone miniature dans son bureau, un jour. Ce qu'elle a entendu, après coup, ce n'était pas Sid avec une fille, c'étaient Sid et M. Carlson qui discutaient de leurs affaires. Des affaires où elle n'aurait pas dû fourrer son nez.

– Quelles affaires ?

– Un meurtre... De même que je vais bientôt commettre un meurtre si vous ne me dites pas où est passé ce fichu enregistrement.

– Eh bien, il...

Elle s'arrêta, incapable parler davantage.

– Où est la cassette ?

– Si je vous réponds, vous me tuerez.

– Si vous vous taisez, je vais tuer ce type, là, à côté de

vous. Le petit frère de Daniel. Réfléchissez bien, Julie. C'est à prendre ou à laisser.

– Je... je...

Soudain, surgie d'on ne savait où, retentit une sonnerie de téléphone portable. Avec un sursaut, Basta fouilla dans l'une de ses poches pour y chercher l'objet et, durant quelques secondes, il relâcha son attention. Josephine en profita pour débouler en grondant et se précipiter sur ses jambes, toutes canines dehors.

Il poussa un hurlement de douleur tout en se débattant frénétiquement dans l'espoir d'échapper à la morsure du caniche, qui se cramponnait à son mollet avec obstination.

– Mac ! appela Julie à voix basse.

Au prix d'un effort visible, ce dernier souleva les paupières, le regard encore vague. Enfin, il se redressa et, lorsque la jeune femme, d'un signe de tête, lui indiqua la direction du lac, il bondit sur ses pieds et la suivit au pas de course.

Quand Mac et elle arrivèrent au bord du promontoire, ils plongèrent sans hésiter. L'eau était fraîche, sinon froide. Julie comprit que Basta, s'étant enfin dégagé des crocs de Josephine, tirait sur eux lorsqu'elle entendit des balles siffler à la surface du lac.

Mac exhala un cri rauque et se raidit brusquement, à quelques brasses de sa compagne. Elle plongea plus profond, au même instant que lui, et lui tendit sa main, qu'il agrippa. Au moins il était vivant – et conscient.

Les balles continuaient de cribler la surface du plan d'eau pendant que, dans un dernier effort, Mac et Julie nageaient pour s'écarter le plus possible de la rive. Enfin, à bout de résistance, Mac cessa de se mouvoir et se retourna sur le dos en se laissant flotter.

La jeune femme le rejoignit aussitôt et, anxieuse, écouta sa respiration. Il semblait avoir de grandes difficultés à reprendre son souffle.

– Je vais bien, assura-t-il. Reste à côté de moi, on va s'en sortir...

Tout à coup, un hélicoptère apparut au sommet des arbres ; un projecteur balaya le périmètre du lac tandis que, dans la clairière, retentissaient les sirènes des voitures de police.

L'hélicoptère descendit plus bas encore, jusqu'à frôler la surface de l'eau. Quelqu'un cria dans un porte-voix :

– Police ! C'est Greg Rice. Mac, tu es là ?

– Par ici ! hurla Mac.

Deux sauveteurs plongèrent alors au milieu des flots.

37

Durant le trajet jusqu'à l'hôpital, dans l'ambulance, Mac souffrit le martyre jusqu'au moment où les antalgiques commencèrent à produire de l'effet. Blessé au dos, à la jambe et au crâne, il avait cependant réussi à ne pas perdre conscience.

Greg Rice lui avait expliqué que, grâce à son travail et à celui de Hinkle, on venait de démanteler le réseau criminel le plus puissant de la côte est. Les deux détectives pouvaient désormais réintégrer leur place dans les rangs de la police, du moins s'ils le souhaitaient. Mac avait répondu qu'il y réfléchirait, son métier d'enquêteur privé s'étant somme toute révélé plus intéressant que prévu. De surcroît, avait ajouté le capitaine Rice, la justice ne comptait pas le poursuivre pour avoir assommé Dorsey et Nichols, lesquels étaient d'ailleurs des policiers véreux. Ces deux derniers devaient faire l'objet de sanctions.

Roger Basta avait été capturé vivant. Avec le nombre d'accusations qui pesaient sur lui, nul doute qu'il allait se mettre à parler.

L'infirmier, à son chevet, ne pouvait manquer d'entendre leur conversation. Néanmoins, pressé de connaître le fin mot de l'histoire, Mac ne put s'empêcher de poser la question à Julie :

– C'était une bonne idée d'affirmer à Basta que tu savais où était caché l'enregistrement. Sans cela, il nous aurait abattus sur place... Mais tu ignores où il se trouve, j'imagine ?

– Oui et non. En réalité, je pense que j'ai compris. Dès qu'il m'a dit qu'il s'agissait d'une cassette, j'ai opéré le rapprochement... La dernière fois que mon père est passé me rendre visite, il m'a donné un ours en peluche. C'est le seul cadeau qu'il m'ait jamais offert... Il m'a dit que c'était pour mon anniversaire et qu'il fallait que je prenne bien soin de cet ours. Il a précisé qu'il reviendrait dans une quinzaine de jours, pour voir si mon ours allait bien. Mais il n'est jamais revenu : il est mort entre-temps...

– Cet ours en peluche, tu l'as toujours ?

– Oui, dans ma chambre, à côté de mon lit. J'ai remarqué qu'il y avait quelque chose de dur à l'intérieur, sous le rembourrage : un petit objet rectangulaire. Aujourd'hui, je sais qu'il s'agit d'une cassette.

– Si je saisis bien, Sid a vu cet ours pendant des années, dans la chambre conjugale, sans se douter qu'il contenait cette précieuse cassette qu'il recherchait désespérément ? fit Mac, ébahi.

– Oui. Il ignorait que c'était mon père qui me l'avait donné. Je ne le lui ai jamais dit... Tu comprends, ce jour-là, c'était l'anniversaire de Becky, pas le mien. J'étais si triste que mon père nous ait confondues, toutes les deux, que je n'ai parlé de ce cadeau à personne. Je l'ai gardé pour moi, voilà tout.

– Il va falloir expliquer tout ça à Greg.

– C'est déjà fait. Je lui ai raconté toute l'histoire pendant qu'on t'installait dans l'ambulance. Il va envoyer quelqu'un récupérer l'ours. Quand on en aura extrait la cassette, il me le rendra... Je crois que je vais en parler aussi à Becky, maintenant.

Il lui sourit et, malgré la présence de l'infirmier, lui baisa les doigts un à un.

38

Trois semaines plus tard, Mac se tenait sur le promontoire en surplomb des flots miroitants. Le soleil brillait dans un ciel sans nuages tandis que l'on s'employait à treuiller la vieille Cougar hors des profondeurs du lac Moultrie. C'était la voiture de Daniel, Mac la reconnaissait.

Basta avait indiqué à la police où chercher les derniers vestiges de l'existence de Kelly Carlson et de Daniel McQuarry. Basta possédait une seconde identité, ou plutôt une seconde activité : en dehors de ses contrats pour les Carlson, il travaillait à la Brigade des stupéfiants depuis une trentaine d'années. Il faisait bien évidemment partie des quelques « ripoux » que comptait la Brigade – avec quelques-uns des acolytes de John Carlson.

Mac découvrit à cette occasion, toujours d'après les révélations de Basta, que son frère avait lui aussi appartenu à la Brigade. En tant qu'ami d'enfance de Sid Carlson, Daniel connaissait bien celui-ci et le soupçonnait d'avoir partie liée avec les trafiquants. Il était donc allé trouver son supérieur hiérarchique pour l'en informer ; or ce supérieur n'était autre que Roger Basta, lequel l'avait autorisé à mener une enquête, tout en avertissant John Carlson. Dès lors, sans même s'en douter, Daniel avait signé son propre arrêt de mort.

Ensuite, Kelly Carlson avait enregistré par hasard une conversation entre Sid et John Carlson à propos d'un meurtre que quelqu'un – l'assassin n'était pas nommé – venait de commettre sur leur ordre. Lorsqu'elle avait écouté la bande magnétique, Kelly, effrayée, en avait parlé à Daniel, avec qui elle avait flirté avant d'épouser Sid. Daniel, de nouveau, avait alerté son chef – c'est-à-dire Basta –, qui lui avait enjoint de lui apporter la cassette. Kelly avait donc remis l'objet à Daniel puis, au moment où il allait le confier à Basta, elle l'avait appelé de toute urgence : Sid la soupçonnait de l'espionner. Daniel avait donc laissé la cassette en lieu sûr, pour voler au secours de la jeune femme.

L'un et l'autre avaient disparu quelques heures plus tard.

De son côté, Mike Williams avait reçu des instructions précises de la part des Carlson ; il devait suivre Daniel dans tous ses déplacements. C'est ainsi qu'il avait pu mettre la main sur l'enregistrement. Quand il en avait entendu le contenu, il avait pris peur, tout comme Kelly. Il s'était donc enfui le plus loin possible en emportant la cassette.

Cinq ans plus tard, il avait commis l'erreur de revenir à Charleston en vue de faire chanter les Carlson, et cela lui avait été fatal.

Enfin, Sid avait épousé Julie afin d'essayer de découvrir où se trouvait la cassette.

Maintenant que la police avait en sa possession cet enregistrement qui avait causé tant de morts, les autorités savaient de quel meurtre discutaient les Carlson : celui de Henry Jacobs, un juge fédéral, dont l'assassinat avait causé un énorme scandale. On n'avait jamais réussi à élucider cette affaire. Or la cassette prouvait sans l'ombre d'un doute que c'étaient les Carlson qui avaient commandité ce crime – et Basta qui l'avait perpétré.

Mac ne put retenir ses larmes lorsque les plongeurs, ayant ouvert le coffre de la Cougar, en retirèrent les restes de Daniel et de Kelly.

Voyant son émotion, Julie s'approcha de lui et, doucement, lui prit la main :

– Oh, Mac, c'est si triste...

– C'était la toute dernière chose que je pouvais faire pour mon frère : retrouver son corps, soupira-t-il d'un ton doux-amer.

– J'aurais aimé le connaître.

– Il t'aurait appréciée. Beaucoup.

Il la contempla un long moment, si belle dans la lumière de l'été.

– Rentrons à la maison, reprit-il.

Ils vivaient dorénavant dans la maisonnette de Mac ; la jeune femme avait mis en vente la grande demeure de Sid, car elle ne pouvait plus supporter d'y habiter.

Dès leur arrivée, Josephine se précipita vers eux en aboyant, pendant qu'ils échangeaient un baiser dans le vestibule.

– Julie, je t'aime, dit Mac. Épouse-moi.

Elle leva vers lui ses grands yeux noirs :

– Est-ce que Josephine fait partie du contrat ? Avec son collier de strass et son abominable manie de tout mâchonner ?

– Absolument, sourit-il.

– Alors, c'est entendu. Oui, Mac, j'accepte de t'épouser.

Il se pencha vers elle pour l'embrasser et il leur sembla, à l'un comme à l'autre, que la terre s'arrêtait de tourner.

Composé par P.C.A.
44400 – Rezé

Impression réalisée sur CAMERON par

BRODARD & TAUPIN

GROUPE CPI

La Flèche

pour le compte des Éditions Michel Lafon
en février 2003

Imprimé en France
Dépôt légal : mars 2003
N° d'impression : 17411
ISBN : 2-84098-897-6
LAF 378